NEW
서울대 선정
인문고전
60선

14
데카르트 방법서설

NEW 서울대 선정 인문 고전 ⑭

(만화) 데카르트 **방법서설**

개정 1판 1쇄 발행 | 2019. 8. 21
개정 1판 2쇄 발행 | 2021. 9. 27

박철호 글 | 이대종 그림 | 손영운 기획

발행처 김영사 | 발행인 고세규
등록번호 제 406-2003-036호 | 등록일자 1979. 5. 17.
주소 경기도 파주시 문발로 197 (우-10881)
전화 마케팅부 031-955-3100 | 편집부 031-955-3113~20 | 팩스 031-955-3111

값은 표지에 있습니다.
ISBN 978-89-349-9439-8
ISBN 978-89-349-9425-1(세트)

좋은 독자가 좋은 책을 만듭니다. 김영사는 독자 여러분의 의견에 항상 귀 기울이고 있습니다.
전자우편 book@gimmyoung.com | 홈페이지 www.gimmyoungjr.com

이 도서의 국립중앙도서관 출판예정도서목록(CIP)은 서지정보유통지원시스템 홈페이지(http://seoji.nl.go.kr)와
국가자료종합목록시스템(http://www.nl.go.kr/kolisnet)에서 이용하실 수 있습니다. (CIP제어번호 : CIP2018042486)

어린이제품 안전특별법에 의한 표시사항
제품명 도서 제조년월일 2021년 9월 27일 제조사명 김영사 주소 10881 경기도 파주시 문발로 197
전화번호 031-955-3100 제조국명 대한민국 ⚠주의 책 모서리에 찍히거나 책장에 베이지 않게 조심하세요.

NEW 서울대 선정 인문고전 60선

14

데카르트 방법서설

박철호 글 · 이대종 그림

주니어김영사

⟨NEW 서울대 선정 인문고전60⟩이 국민 만화책이 되기를 바라며

제가 대여섯 살 때 동네 골목 어귀에 어린이들에게 만화책을 빌려주는 좌판 만화 대여소가 있었습니다. 땅바닥에 두터운 검정 비닐을 깔고 그 위에 아이들이 좋아하는 만화책을 늘어놓았는데, 1원을 내면 낡은 만화책 한 권을 빌릴 수 있었지요. 저는 그곳에서 만화책을 보면서 한글을 깨쳤고 책과의 인연을 맺었습니다.

초등학교 때는 용돈을 아껴서 책을 사서 읽었고, 중학교 때는 학교 도시 반징을 밑아 도서관에서 매일 밤 10시까지 있으면서 참 많은 책을 읽었습니다. 그 무렵 헤밍웨이의 《노인과 바다》를 손에 땀을 쥐며 읽으면서 인생에 대해 고민했고, 헤르만 헤세의 《수레바퀴 아래서》를 읽으며 사춘기의 심란한 마음을 달랬습니다. 김래성의 《청춘 극장》을 밤새워 읽는 바람에 다음 날 치르는 중간고사를 망치기도 했습니다.

당시 저의 꿈은 아주 큰 도서관을 운영하는 사람이 되어 온종일 책을 보면서 책을 쓰는 작가가 되는 것이었습니다. 나이가 들고 어느 정도 바라는 꿈을 이루었습니다. 큰 도서관은 아니지만 적당한 크기의 서점을 운영하고, 글을 쓰는 작가가 되었거든요. 저는 여기에 새로운 꿈을 하나 더 보탰습니다. 그것은 즐거운 마음과 힘찬 꿈을 가지게 해 주고, 나아가 자기 성찰을 도와주는 좋은 만화책을 만드는 일이었습니다. 이렇게 해서 만든 책이 바로 ⟨서울대 선정 인문고전⟩입니다. 서울대학교 교수님들이 신입생과 청소년들이 꼭 읽어야 할 책으로 추천한 도서들 중에서 따로 60권을 골라 만화로 만든 것입니다. 인류 지성사의 금자탑이라고 할 수 있는 고전을 보기 편하고 이해하기 쉽도록 만화책으로 만드는 일은 쉬운 일은 아니었습니다. 약 4년 동안에 수십 명의 학교 선생님들과 전공 학자들이 원서의 내용을 정확하게 전달할 수 있도록 밑글을 쓰고, 수십 명의 만화가들이 고민에 고민을 거듭하면서 만화를 그려 60권의 책을 만들었습니다.

〈서울대 선정 인문고전〉이 완간되었을 무렵에 우리나라에 인문학 읽기 열풍이 불기 시작했습니다. 〈서울대 선정 인문고전〉은 인문학 열풍을 널리 퍼뜨리는 데 한몫을 하면서 독자들의 뜨거운 사랑과 관심을 받았습니다. 덕분에 지금까지 수백만 권이 팔리는 베스트셀러가 되었습니다. 그 사랑에 조금이나마 보답을 하기 위해 《칸트의 실천이성 비판》, 《미셸 푸코의 지식의 고고학》, 《이이의 성학집요》 등 우리가 꼭 읽어야 할 동서양의 고전 10권을 추가하여 만화로 만들었습니다.

〈서울대 선정 인문고전〉은 어린이와 청소년이 부모님과 함께 봐도 좋을 만화책입니다. 국민 배우, 국민 가수가 있듯이 〈서울대 선정 인문고전〉이 '국민 만화책'이 되길 큰마음으로 바랍니다.

손영운

나는 생각한다. 그러므로 나는 존재한다

어느 날 문득 익숙하던 것들이 낯설어지고 확실하다고 생각했던 것들이 의심스럽게 느껴진 적이 있을 겁니다. 세계가 어떻게 이루어져 있는지, 나는 과연 누구인지가 뜬금없이 궁금해진 적도 있을 거고요. 너 나 할 것 없이 살아가면서 누구나 한번쯤은 그런 생각을 하게 됩니다. 아마 한 번이 아닐지도 모르겠네요. 어렸을 적엔 수도 없이 시시때때로 그런 생각을 하니까요. '왜?', '저게 뭐야?', '나는 어디서 왔어?' 와 같은 어린아이의 질문은 표현은 단순해도 근본적으로 같은 의문을 담고 있습니다. 이런 질문들에는 대개 얼버무려진 답변이나 화제를 돌리는 엉뚱한 대답만 돌아옵니다. 엄마는 아빠에게 물어보라 하고 아빠는 엄마에게 물어보라 하며 서로 떠넘기기 일쑤입니다. 무시된 질문들은 점점 잊혀지다가 어느 날 갑자기 마치 처음 드는 생각인 것마냥 머릿속에 불쑥 떠올라 우리를 당혹스럽게 합니다. 이미 어린 시절에 다 해결됐다고 생각했던 질문들이니까요. 사실 해결된 것이 아니라 답변이 연기됐던 것뿐인데요.

단 몇 마디로 이루어진 이런 단순한 질문이 답변을 얻지 못했던 이유는 뭘까요? 부모님들이 귀찮았기 때문일까요? 아마도 그것이 어려운 핵심을 건드렸기 때문이고, 또 그 핵심에 접근하는 방법을 우리 부모님들이 알지 못했기 때문일 겁니다. 데카르트의 《방법서설》은 철학적으로도 훌륭한 책이지만, 이런 단순하고도 근본적인 질문에 답변할 수 있는 방법을 제공해 준다는 점에서도 그 가치를 찾을 수 있습니다. 중요하지만 막연했던 질문들을 구체적이고 명확하게 바꾸어주고 어떻게 해야 그 답을 찾을 수 있는지 알려주니까요.

우리는 보통 데카르트 하면 '나는 생각한다 그러므로 나는 존재한다'라는 말을 떠올립니다. 한번 들으면 다시는 잊을 수 없이 머릿속에 각인되는 이 문구는 어렸을 적 가졌던 순진한 의문을 어른이 돼서도 잊지 않고 추구한 한 철학자가 찾아낸 빛나는 보물열쇠입니다. 《방법서설》은 데카르트가 이 열쇠로 어떻게 의문(疑問)의 문(門)들을 열어젖히는지 자세히 보여줍니다. 학문과 진리, 도덕, 자아, 신(神), 세계, 인간에 관한 숱한 의문들이 이 열쇠로 하나하나 차근차근 풀려가는 과정은 엄밀하다 못해 아름답기까지 합니다.

데카르트의 철학은 정신과 물질을 전혀 다른 별개로 보는 이원론의 철학입니다. 이처럼 정신을 통해 세계를 확인하는 관점, 정신과 물질을 전혀 다른 것으로 파악하는 데카르트의 철학은 근대 이후 서양인의 세계관이 형성되는 데 중요한 역할을 합니다. 서양의 세계관이 지구의 대부분의 곳들로 확산된 지금, 그의 철학은 알게 모르게 우리의 의식을 구성하는 중요한 한 부분이 되어 있습니다. 데카르트의 이원론이 우리의 말과 행동에서 어떻게 드러나고 있는지, 사회현상의 배후에서 어떤 작용을 하고 있는지 여럿이서 토론해 보는 것도 우리가 누구인가라는 근본적인 질문에 답변을 시도해 볼 수 있는 좋은 기회가 될 것입니다.

이 책을 통해 어린이들이 세계를 분석하고 자신을 보다 잘 이해하는 방법을 배울 수 있다면, 또 어른들이 세계와 자아에 대해 처음 느꼈던 경이와 흥분을 되살릴 기회를 가질 수 있다면 더 바랄 것이 없겠습니다. 주니어김영사 편집부에 많은 노고를 끼쳐드렸기에 이 자리를 빌려 감사의 말씀을 전합니다.

박철홍

변하지 않는 완벽한 진리를 찾는 여행

근대 철학의 아버지라 불리는 데카르트는 방법론적 회의론이라고 하는 극한적인 회의를 하고 보여지는 모든 것을 의심합니다. 그는 모든 것이 의심스럽고 확실한 것이 없지만 '무엇인가를 끝없이 의심하고 생각하는 것이 곧 존재하는 것' 이라는 말을 하게 됩니다.

"나는 생각한다. 그러므로 나는 존재한다."

데카르트의 이 명제만큼 이성의 중요함을 일깨워 준 것도 없지요.

그에 따르면 이성이란 '올바르게 판단하고 참과 거짓을 구별하는 능력' 으로서, 이 명제는 인간은 '생각하는' 자신의 힘만으로 진리를 탐구할 수 있다고 한 이성의 독립선언이었습니다.

데카르트가 살았던 중세시대의 철학자 역할은 신의 뜻이 무엇인가를 파헤치는 것이 주된 목적이자 임무였어요. 중세시대의 진리의 기준은 신이었던 것이죠. 그러나 데카르트는 그러한 기준을 넘어서서 진리의 기준으로 이성을 내세웠습니다. 그동안의 모든 철학적 사상과 상식들을 지워내고 그 기초부터 완전히 새로운 자리에서 시작해 새롭게 어디에서 무엇으로 출발해야 하는가를 고민했지요.

물론 데카르트는 신까지는 완전히 부정하지는 못했어요.

　결국 신이라는 존재를 끌어들이기는 하지만 그래도 이성을 기준으로 제시한 데카르트의 업적은 근대주의를 열었다는 점에서 결코 작은 것이 아니었어요. 이성으로 합리적인 판단을 하였을 때에야 비로소 들어맞는 내용들이 나타나고 또 그런 것들이 진리로서 자리잡게 되는 풍토를 열었다는 점에서 그는 근대 이성주의의 발판을 닦았다고 볼 수 있어요.

　그런 의미에서 "나는 생각한다. 그러므로 나는 존재한다." 라는 명제는 근대주의의 선언과 같은 것이지요.

　결국 자신이 배운 모든 것을 거부하고 이성의 힘으로 얻은 확실한 것만을 믿게 된 것이니까요.

　데카르트는 명백하고 판명한 생각을 제외하고는 어떤 것도 받아들이지 않고, 어떠한 문제를 풀 때 필요한 만큼 부분을 나누어, 단순한 것에서 복잡한 것으로 정리했고, 전반적으로 검토하자는 원칙에 충실하였어요.

　데카르트는 과연 이런 의심을 통해서 무엇을 알고 싶었던 걸까요?

　그것은 바로 절대로 의심할 수 없는 분명한 진리를 찾기 위해서랍니다. 그런 진리를 찾아야만 거기서부터 또 다른 진리를 이끌어 낼 수 있기 때문이지요.

　자! 그럼 우리도 한번 진리를 찾는 여행인 데카르트의 《방법서설》의 세계로 들어가 볼까요?

이대중

제1장 《방법서설》, 정신의 자서전

《방법서설》은 근대 철학의 아버지라 불리는 르네 데카르트가 지은 책을 말하는 거야.

나야 나.

원래 제목은 좀 길지.

《이성을 잘 인도하고, 학문에 있어서 진리를 탐구하기 위한 방법서설, 그리고 이 방법에 관한 에세이들인 굴절광학, 기상학 및 기하학》

헉! 설마 저게…?

헉헉… 어때?

맙소사. 끔찍하군.

하지만 걱정 마. 원 제목은 그렇지만 보통 《방법서설》이라고 하면 굴절광학, 기상학, 기하학은 빼고 앞부분 에세이만 말하는 거니까.

헤헤. 그렇다면야….

이 책은 1637년 6월에 네덜란드의 라이덴에서 출판되었어.

원본은 프랑스어로 쓰였는데, 이것은 당시로서는 획기적인 일이었어.

그게 왜?

조선시대에는 이미 한글이 있었음에도 불구하고 한자로 책을 썼잖아.

당연하잖소. 한글은 우리 같은 양반들이 쓰기엔 품위가 없어요, 품위가.

그 당시의 유럽도 성직자나 귀족, 학자 등 높은 지위에 있는 사람들은 영어나 프랑스어 같은 자기 나라의 글을 쓰는 걸 부끄럽게 생각했어.

힘.

천하게 어찌 영어 따위를…

그럼. 그럼.

그럼 도대체 어떤 글을 쓴단 말이지?

그건 바로 라틴어야.

고대 로마 제국은 한때 유럽의 거의 모든 지역과 북아프리카, 지금의 중동 지역까지 지배한 대제국이었고, 라틴어는 바로 그 로마 제국의 언어야.

실제로 프랑스어로 펴낸 《방법서설》은 거의 팔리지 않았다고 해.

휴~ 이걸 언제 다 파냐?

하지만 똑같은 책을 라틴어로 번역해서 1644년 다시 내놓자 불티나게 팔려나갔대.

《방법서설》 주세요.

줄 서세요, 줄.

작가 사인회 안 해요?

근데 데카르트는 왜 《방법서설》을 그 당시의 관례대로 라틴어로 쓰지 않고 프랑스어로 쓴 걸까?

《방법서설》의 마지막 부분에 그 이유가 나와 있어.

어디…?

그건 내가 옛날 책만 믿는 학자들보다는 순수한 이성만을 사용하는 사람들이 《방법서설》을 더 잘 이해해 주길 원했기 때문이야.

순수한 이성만을 사용하는 사람이 라는 게 무슨 뜻이야?

그건 라틴어를 몰라서 제대로 공부를 못 했던 사람들을 말하지.

아니, 정말로 그런 사람들이 이 책을 이해할 거라고 생각했수?

뭐, 꼭 그런 건 아니지만….

그는 자신의 책을 읽을 사람들은 결국 학자들이라는 것을 잘 알고 있었어.

그럼 대체 뭐야?

난 학자들이 선입견을 버리고 오직 이성에만 의존하여 나의 책을 판단해 주기를 바랐던 거야.

그러니까 무슨 말이야? 고상한 척하지 말고 쓸데없는 비난도 하지 말고 있는 그대로 가치를 인정해 달라는 거?

그렇지. 데카르트의 그런 생각에는 자신의 책이 라틴어로 쓰여진 옛날 책들보다 훨씬 더 진리에 가깝다는 자신감이 깔려 있었던 거야.

오호! 결국 그런 거였어?

헤헤….

이 책은 철학 논문이 아니라 자신의 방법을 설명하는 하나의 이야기이고 그래서 다른 책들에 비해 쉽게 쓰였어.

정말 쉽다고. 정말이라니까.

그래서 《방법서설》은 데카르트의 책 중에 가장 널리 알려진 책이야.

데카르트? 그 사람이 쓴 《방법서설》 책이 좀 팔린대?

글쎄…?

데카르트는 이 책에서 자신의 정신이 어떻게 방랑했고 어떻게 성장했으며 어떻게 진리를 찾아가는지 직접 이야기하고 있어.

그런데 《방법서설》에서 '방법'은 대체 뭘 말하는 것일까?

별것도 아닌 쉬운 것도 철학하는 인간들은 무지 어렵게 얘기 하던데…

어려워할 필요 전혀 없어. '방법'은 우리가 알고 있는 바로 그 말이야.

공부를 잘하는 '방법', 달리기 잘하는 '방법', 게임 잘하는 '방법' 뭐 그런 거?

딩동댕. 바로 그거야.

하하하

정말? 그렇게 간단해?

흠, 이쯤부터는 그래도 철학다운 맛이 좀 나야겠지?

역시….

명색이 철학책이잖아.

《방법서설》은 진리를 찾아내는 방법에 관한 책이야.

진리

그리고 진리를 찾아내는 방법뿐만 아니라, 그 방법을 사용하는 진리를 찾아내고, 그 진리를 바탕으로 해서 또 다른 진리를 찾는 것에 관해서 이야기해 주는 책이야.

여기 또 다른 진리가 있는 곳이 기록돼 있어.

심 봤다!

진리

《방법서설》은 그런 방법을 보여주는 쉬운 이야기라고 할 수 있지.

하지만 이 책은 나의 철학을 이해하기 위해 아주 중요한 책이야.

이 책에는 방법은 물론이고, 그의 철학이 거의 모두 압축되어 담겨 있기 때문이지.

그래서 데카르트의 철학을 가볍게 배우려는 사람뿐만 아니라

주니어김영사의 《방법서설》은?

그의 철학을 폭넓게 연구하려는 사람에게도 이 책은 반드시 필요해.

《방법서설》은 필독서라고.

데카르트는 《방법서설》이 나오기 전에도 몇 권의 책을 쓴 적이 있는데…

안타깝게도 그 책들은 미완성인 채로 남겨졌거나 데카르트 자신이 출판을 포기했지.

그 책들까지 나왔으면 난 미쳐 버렸을 거야.

그럼 그럼. 천만다행이네.

흐흐…, 안됐지만 《방법서설》에는 그 책들의 내용까지 요약되어 실려 있지롱.

요약이라잖아, 요약!

《방법서설》은 그의 생각이 어떻게 발전해 왔는지 알 수 있을 뿐만 아니라…

이후에 출판될 《성찰》과 《청념론》의 주제가 여기서 이미 그 싹을 틔우고 있지.

어쨌든 공식적으로 출판된 것은 이 책이 처음이라고.

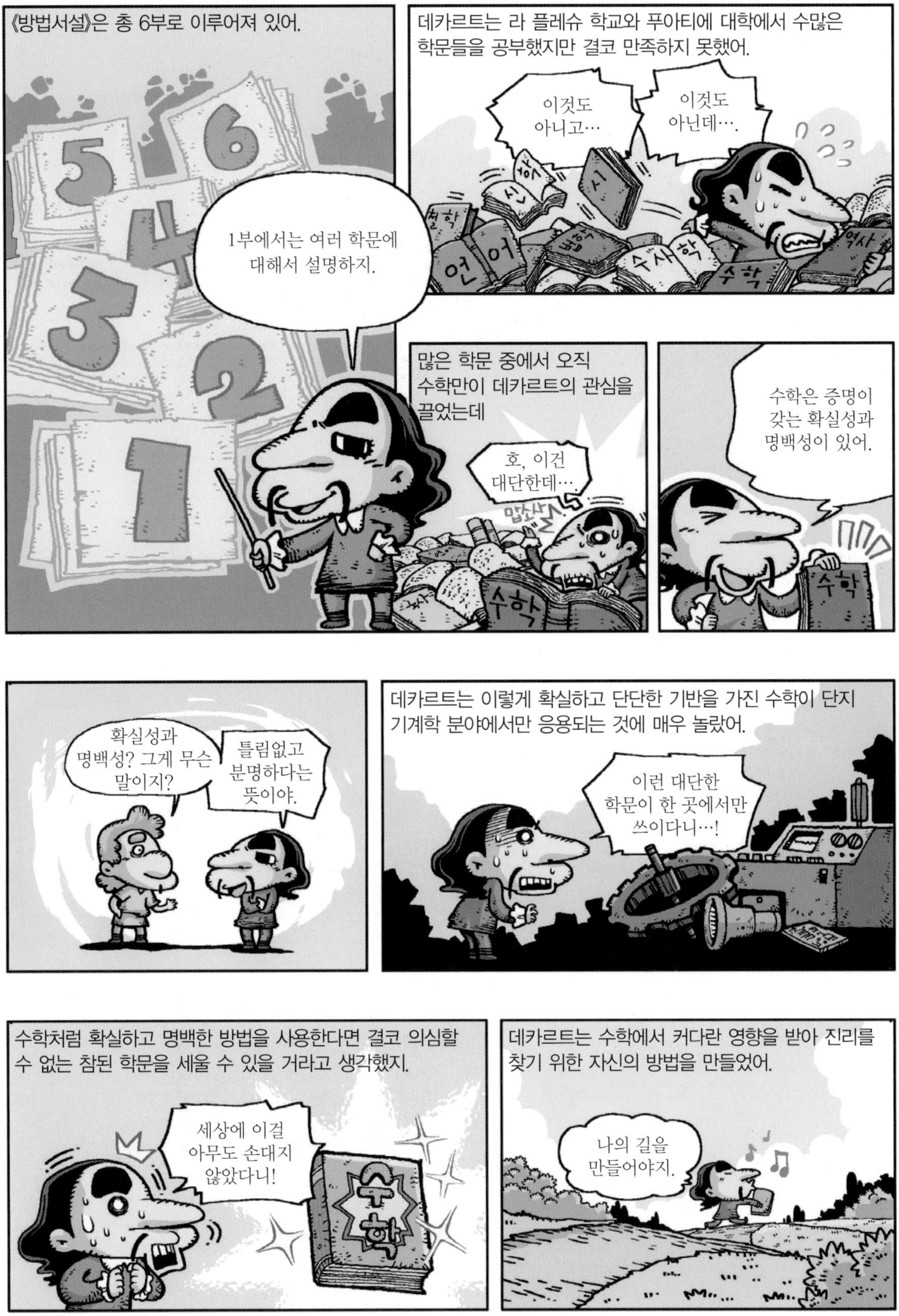

《방법서설》은 총 6부로 이루어져 있어.

데카르트는 라 플레슈 학교와 푸아티에 대학에서 수많은 학문들을 공부했지만 결코 만족하지 못했어.

이것도 아니고…

이것도 아닌데….

1부에서는 여러 학문에 대해서 설명하지.

많은 학문 중에서 오직 수학만이 데카르트의 관심을 끌었는데

호, 이건 대단한데…

수학은 증명이 갖는 확실성과 명백성이 있어.

확실성과 명백성? 그게 무슨 말이지?

틀림없고 분명하다는 뜻이야.

데카르트는 이렇게 확실하고 단단한 기반을 가진 수학이 단지 기계학 분야에서만 응용되는 것에 매우 놀랐어.

이런 대단한 학문이 한 곳에서만 쓰이다니…!

수학처럼 확실하고 명백한 방법을 사용한다면 결코 의심할 수 없는 참된 학문을 세울 수 있을 거라고 생각했지.

세상에 이걸 아무도 손대지 않았다니!

데카르트는 수학에서 커다란 영향을 받아 진리를 찾기 위한 자신의 방법을 만들었어.

나의 길을 만들어야지.

2부에서는 진리를 찾기 위한 방법이 어떤 것인지 나와 있는데…

나만의 비법이지.

그것은 네 개의 규칙으로 이루어져 있지.

첫 번째 규칙

명백하게 참이라고 인식한 것은 어떤 것도 절대 참이라고 받아들이지 마라.

두 번째 규칙

어려운 문제는 가장 잘 풀기 위해 필요한 만큼 작은 부분들로 나누어라.

세 번째 규칙

가장 단순하고 쉽게 이해할 수 있는 것에서부터 점차적으로 가장 복잡한 것의 순서로 생각을 이끌어 나가라. 순서가 없는 것은 순서를 만들어라.

네 번째 규칙

아무것도 빼놓지 않고 완전하게 열거했는지 전체적으로 검사하라.

뭐야! 다 뻔한 얘기잖아?

뭐? 뻔한 얘기?

얼핏 보면 있으나마나 한 규칙들처럼 보이지만 저 규칙들 안에 얼마나 많은 내용이 숨어 있는지 안다면 깜짝 놀랄걸.

이 뻔한 내용에 진리를 찾을 수 있는 힌트가 있단 말이지?

어허~ 속고만 살았나.

첫 번째 규칙은 '명백하게 참이라고 인식한 것'만이 참이라고 말하고 있어.

그것은 '조금도 의심할 수 없을 정도로 뚜렷하고 분명하게 내 정신에 나타나는 것'을 말해.

명백한 참? 그게 뭐지?

그리고 그런 명백한 참을 찾아내야 그것들과 두 번째, 세 번째, 네 번째 규칙을 사용해서 참된 지식을 찾을 수가 있지.

뭐야? 한 개 찾기도 힘든데 세 개나 더 찾아야 한다고?

그냥 집에 갈까?

명백한 참에는 어떤 것이 있는지, 또 데카르트가 그것을 어떻게 찾아내는지는…

4부에서 나올 거야.

4부까지만 가보자.

4부까지 가서도 안 나오면?

몰라.

3부에서는 아직 확실한 진리를 발견하지 못한 이성이 어떤 행동을 할지 결정을 내려야만 할 때 그 결정을 도와줄 임시적인 도덕 격률*에 대해 이야기하고 있어.

으다다다, 급하다, 급해. 화장실은 안 보이고 어떻게 하지?

그냥 여기서? 구석에서? 좀 더 참아? 아이고야~ 어떡해?

점점 철학적으로 되어가는 것 같지 않아?

*격률(格率, maxim) – 윤리학의 근본 규칙. 또는 개인의 생활 규범, 원칙.

데카르트는 도덕도 신이나 영혼과 같은 보다 높은 실재로부터 비롯된다고 생각했어.

못 보던 놈이 있네?

도덕 안녕. 영혼

그렇기 때문에 신이나 영혼을 확실히 알지 못하면 도덕의 근거도 찾을 수가 없다고 생각했지.

신은 무엇인가

영혼은 어디에서 오는가

너희는 누가 '왜 착한 일을 해야 합니까?' 라고 묻는다면 뭐라고 대답하겠니?

부모님이 그렇게 하라고 해서요.

착한 일을 하면 보답을 받으니까요.

착한 일을 왜 해요? 사람은 죽으면 모든 게 끝인데.

아냐, 아냐. 그런 건 결코 만족할 만한 답이 될 수 없어.

단지 그냥 그렇게 한다가 아니라 보다 명확한 이유가 있어야 한다는 말이야.

그는 도덕적 행동도 수학처럼 확실한 근거를 가져야 한다고 생각했거든.

하지만 우리의 이성은 아직 확실한 근거를 찾지 못하고 갈피를 잡지 못하고 있잖아?

이쪽?

이쪽?

이럴 경우 이성이 나쁜 길로 빠지지 않도록 임시적으로 지켜야 할 격률이 필요한데…

경고!! 접근금지

방법시 진리구 도덕동 134번지.

제3부에서는 그런 것을 3가지 규칙으로 설명하고 있지.

이정표가 있으니 방향을 잡기가 쉽군.

쫌만 더 가면 4부다!

방법시 진리구 도덕동 134번지.

첫째, 자기 나라의 법률과 관습에 복종하고 종교에 충실하며, 가장 현명한 사람들의 의견을 따를 것.

둘째, 가능한 한 확고하고 결연하게 행동하고, 가장 의심스러운 의견이라도 일단 그것을 따르기로 결정했으면 항상 따를 것.

괜찮아. 대장 말 들어. 그건 고양이가 맞다니까.

으르릉~

셋째, 문명이 아니라 자기 자신을 지배하려고 노력하고 세계의 질서가 아니라 자신의 욕망을 바꾸려고 힘쓸 것.

크하하, 나의 목표는 세계 정복이다!

이번에 낙제 했다면서 그런 소리가 나오냐?

이와 같은 격률을 나 자신에게 적용해 본 결과 두 가지 깨달은 바가 있었지.

그게 뭔데?

나 자신의 삶을 이성을 일깨우는 데 바치겠다는 것.

이성

그리고 나 자신이 정한 방법에 따라 진리에 대한 앎을 늘려나가는 일이 제일 좋겠다는 결론에 이르렀지.

세상 너무 어렵게 사는 거 아냐?

이와 같은 결론에 따라 데카르트는 진리를 찾는 일에 몰두했어.

어딘가에 숨겨진 진리를 찾아서….

진리

과연 그는 진리를 찾았을까?

당연히 찾았지.

오, 정말?

하지만 그게 무엇인지는 조금 후에 알려줄게.

쳇, 튕긴다 이거지?

우선 데카르트가 그것을 어떻게 찾았는지부터 알아보자.

데카르트가 진리를 찾기 위한 방법을 개발했다는 건 아까 말했지?

언제? 장난쳐?

기억 안 나? 이런 이런…

참내, 기가 막혀, 뭘?

좋아, 그렇다면 18쪽의 이거 기억 나?

어, 이거?

명백하게 참이라 알지 못한 것은 어떤 것도 절대 참이라고 받아들이지 마라.

이제 생각 나지?

푸하하 맙소사

푸하하, 이거라고 확실하게 얘기했어야지. 난 또 뭐라고….

그럼 가장 중요한 첫 번째 규칙이 뭐라고 했지?

참내, 날 뭘로 보고….

명백하게 참이라 알지 못한 것은 어떤 것도 절대 참이라고 받아들이지 마라.

좋아. 그러면 어떤 사실이나 생각이 참인지 아닌지 어떻게 알 수 있을까?

참 내, 내가 그걸 알면 여기 있겠냐?

데카르트는 조금이라도 의심할 수 있는 것은 참이 아니라고 생각했어.

뭐가 좀 이상한데…?

그래서 그는 모든 것을 의심해 보기로 작정했지.

네 놈의 말, 눈동자, 손짓, 옷차림, 숨소리 등등 모든 게 수상해.

진실을 말하라고, 진실을!!

세계에 존재하는 물체들,

이 주전자는 왜 여기에 있지?

그럼 주전자 없는 집도 있냐?

수학의 증명 등 모든 것을 의심할 수 있었고,

이건 더 수상하군. 2+2가 4라니….

그래, 그래. 6이라고 해라.

그러므로 그것들이 거짓일 수도 있다는 걸 알게 됐어.

이 모든 것이 사실이 아니라면…?

네 자신은 의심스럽지 않냐?

바로 그때…!

아, 그래 맞아!!

또…뭐야?

데카르트는 자신이 이렇게 의심하고 있다는 사실이야말로 결코 의심할 수 없는 것임을 깨달았어!

분명히 난 이 모든 걸 의심하고 있다고.

무엇을 의심하건 간에 의심하고 있는 자신이 존재한다는 것을 깨달은 거야.

그리고 그 의심의 주체인 내가 존재하는 거야.

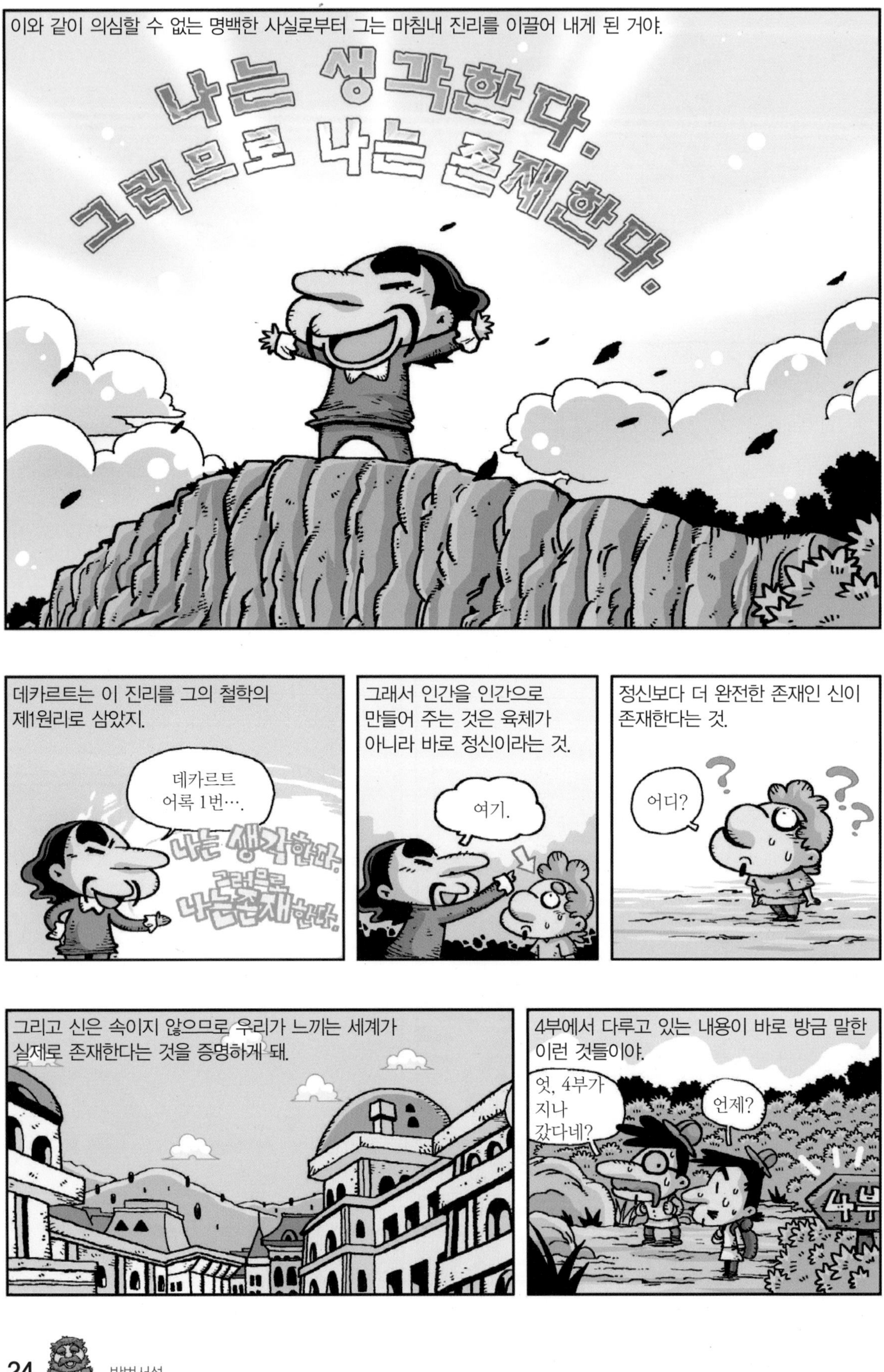

이와 같이 의심할 수 없는 명백한 사실로부터 그는 마침내 진리를 이끌어 내게 된 거야.

데카르트는 이 진리를 그의 철학의 제1원리로 삼았지.

데카르트 어록 1번….

나는 생각한다. 그러므로 나는 존재한다.

그래서 인간을 인간으로 만들어 주는 것은 육체가 아니라 바로 정신이라는 것.

여기.

정신보다 더 완전한 존재인 신이 존재한다는 것.

어디?

그리고 신은 속이지 않으므로 우리가 느끼는 세계가 실제로 존재한다는 것을 증명하게 돼.

4부에서 다루고 있는 내용이 바로 방금 말한 이런 것들이야.

엇, 4부가 지나 갔다네?

언제?

정신이나 신의 존재까지 증명했으니까
데카르트는 여기서 만족했을까?

아니야. 데카르트에게 진리는 하나의 커다란 나무와 같아.

정신이나 신을 다루는 형이상학이 이 나무의 뿌리라면 수학은 줄기고, 물리학, 생물학, 윤리학,
의학과 같은 학문들은 나무의 가지야.

생물학 의학 역사 수사학
물리학
윤리학 기계학 언어 철학
법학

수학

정신   신

영혼

5부에서는 이 가지에 해당하는 과학의
문제들을 다루게 돼

데카르트는 갈릴레이의 유죄판결 소식을 듣고 자신의
《우주론》의 출판을 포기했는데…

갈릴레이가
지동설을 주장하다가
곤욕을 치렀대요.

으음….

이게 계속 마음에 걸렸나 봐.

찜찜하네….

왜냐하면 《방법서설》 5부에서 그 책이 어떤 내용을 담고 있는지 소개하고 있거든.

그는 태양, 유성, 혜성, 지구, 중력, 밀물과 썰물, 불, 식물, 동물, 인간의 신체 등을 순전히 기계적인 관점에서 설명하고 있어.

기계적인 관점이 뭐냐고?

지구가 태양의 둘레를 도는 이유를 물어봤을 때.

태양의 인력이 지구를 잡아당기고 있기 때문이지.

이게 기계적인 관점이고….

지구가 태양을 사랑하기 때문이야.

이건 인간적인 관점이라고 해두지.

데카르트는 짐승뿐만 아니라 인간의 몸까지도 일종의 기계라고 생각했지.

그러면서 난 심장의 운동을 설명하고, 인간과 짐승의 차이를 말해.

인간과 짐승은 어떤 점에서 다를까?

이 책에서 나올 내용을 기대하라고.

꼭 책장사 같아.

6부에서 데카르트는 자연을 더 깊이 연구하기 위해서 필요한 것들과

《방법서설》을 쓰게 된 까닭을 이야기하고 있어.

크흑!

그는 《우주론》을 출판하지 않기로 마음먹으면서 이후로 어떤 논문도 발표하지 않겠다고 결심했다고 해.

하지만 이로 인해 교회의 이단 심문이 무서워서 책을 출판하지 않는다는 오해를 받았던 것 같아.

학자의 양심을 버렸어.

저러면서 진리를 추구한다는 게 말이 돼?

데카르트는 이런 오해를 없애고 싶었고…

사람들의 불신을 끝내기 위한 방법은 그것뿐이야.

또한 과학 연구를 할 때는 직접 실험을 해보는 것이 필요한데

흑, 왜 안 되는 거지?

혼자 할 때보다는 다른 사람의 도움을 받을 때 훨씬 좋은 결과를 얻을 수 있었지.

오, 그런 방법도 있었군.

그래서 자신의 연구를 알릴 필요가 있다고 생각한 데카르트는 《방법서설》을 출판하게 된 거야.

전격발행 금세기 화제작!! 방법서설 저자 데카르트

이게 바로 일석이조라고나 할까.

하하하

《방법서설》은 서양 철학 역사에서 매우 중요한 의미를 갖고 있지.

이 책은 중세의 스콜라 철학을 거부하고 새로운 관점으로 근대 철학으로의 길을 활짝 열었어.

스콜라 철학자들은 고대 그리스의 철학자인 아리스토텔레스의 질료형상설을 믿고 있었는데,

나~!

난 그걸 인정할 수 없어!

질료형상설은 존재하는 모든 것을 질료와 형상을 통해 설명하는 이론이야.

뭐라고?

어떤 사람이 집을 짓는다고 해보자.

벽돌!

그럼 벽돌만 있으면 집을 지을 수 있을까?

장난치냐? 너 같으면 그럴 수 있어?

너 누구야!! 나와~!!!

그럼 무엇이 더 필요할까?

당연히 시멘트도 있어야 하고 창문도 있어야 하고 기타 등등.

시멘트

그래 맞아. 그럼 그런 것들이 다 있으면 집이 완성될 수 있을까?

흠…

뭘 더 바라는데? 응?

집을 짓기 위해서는 재료뿐만이 아니라 집의 설계도가 반드시 필요해.

그래, 바로 그거. 설계도….

어떤 모양으로 짓겠다고 미리 그려보지 않은 채 무턱대고 집을 짓기 시작하면 제대로 지을 수가 없지.

아리스토텔레스는 모든 사물은 질료와 형상이 결합되어 만들어진다고 주장했는데…

왜? 왜? 분명히 완벽했는데….

삐딱

삐딱

여기서 집을 짓기 위한 재료가 질료이고 설계도가 형상이야.

설계도.

나무는 나무의 질료와 나무의 형상이 결합된 것이고, 사슴은 사슴의 질료와 사슴의 형상이 결합된 것이지.

아리스토텔레스에 따르면 순수하게 형상만 존재하는 것은 딱 하나밖에 없다고 했는데…

부동의 원동자란 자기 자신은 변화하지 않으면서 다른 모든 것들을 생성하는 자라는 뜻이야.

뭐? 그런 게 있어?

그는 그것을 부동의 원동자라고 불렀어.

알았지? 부동의 원동자란다.

나의 이런 생각은 기독교의 신과 창조설에 잘 어울렸기 때문에 스콜라 철학자들에 의해 신봉되었던 거지.

오, 딱이야.

맞춤 철학의 극치다!

와 와 웅성

와 와 웅성

최고~!!

질료형상설은 사물이 생겨나고 변화하는 원인을 형상에서 찾아.

질료가 형상을 그리워하기 때문이지.

웬 러브 스토리?

다시 말해 질료의 목적이 형상이기 때문에 만물이 생겨나고 변화한다는 거야.

한마디로 재료(질료)는 설계도(형상)대로 되고자 한다는 거지.

하지만 데카르트는 이런 생각을 거부해.

그는 사물은 오직 연장(즉, 크기와 모양)만을 갖고 있다고 주장해.

모든 사물의 생성과 변화는 오직 물질의 장소 이동, 즉 운동 때문이지.

나무가 자라는 것은 질료가 나무의 형상을 그리워하기 때문이 아니라 뿌리와 잎을 통해 물질을 얻었기 때문이라는 거지.

그래, 난 처음부터 러브스토리가 맘에 들지 않았다고.

그의 이런 기계론적 세계관은 아리스토텔레스의 목적론적 세계관을 물리치고

근대를 거쳐 현대에 이르기까지 많은 사람들에게 영향을 끼치고 있어.

하지만 그의 이런 세계관이 담긴 《우주론》은 출판되지 않았기 때문에 《방법서설》에서 최초로 나타나게 된 것이지.

데카르트의 가장 유명한 명제가 처음으로 등장하는 곳도 바로 《방법서설》이야.

이것은 데카르트 철학의 제1원리로서도 중요하지만 철학의 새로운 경향을 만들어 낸 명제로서도 매우 커다란 의미가 있어.

나는 생각한다 그러므로 나는 존재한다

쑥스럽게 뭘….

고대에서 중세에 이르기까지 철학에서 '나', 즉 자아가 중심적인 역할을 했던 적은 거의 없었어.

'나'는 언제나 세계의 일부였을 뿐이지.

그렇지. 세계는 내가 있건 없건 상관없이 언제나 존재하는 거니까.

하지만 데카르트는 명백한 참을 찾기 위해 모든 것을 의심해 보던 중에 잠깐이나마 세계가 사라지고 생각하는 '나'만 남아 있는 경험을 하게 된 거야.

세계보다 '나'가 더 근본적일 수 있다는 것을 알게 된 거지.

내가 없다면 세계도 없는 거나 마찬가지잖아.

그것도 일리 있네.

이 잠깐의 경험은 데카르트 이후의 철학자들에게 세계와 정신으로서의 '나'와의 관계를 탐구하도록 만드는 계기가 되었어.

'나'란 무엇인가?

나는 어디서 왔지?

자아와 세계의 관계는 이후 많은 철학자들의 중심 주제가 되었고 지금도 관심을 끌고 있단다.

나는 해야 한다. 고로 난 할 수 있다….

흠… 좋은 말이야.

나도 뭔가 좋은 말을….

중얼 중얼

자, 그럼 이제 본격적으로 책 속으로 들어가 볼까?

자… 잠깐… 생각 좀 해 보고…

…가 아니고 난 못 가.

종교개혁과 종교전쟁(1)

가톨릭교회는 로마제국 시대인 4세기 초에 공인된 이후 1천 년도 훨씬 넘은 세월 동안 유럽을 지배하고 있었어. 하지만 한 사람이 권력을 오랫동안 갖고 있으면 타락하기가 쉬운 것처럼 교회도 마찬가지였지. 수도사이자 신학자인 마르틴 루터(1483~1546)가 1517년에 95개의 조항으로 이루어진 항의문을 독일의 비텐베르크라는 도시에 있는 '모든 성자의 교회(Church of All Saints)' 대문에 붙일 때에는 가톨릭교회의 부패가 매우 심한 상황이었어. 그 중에서 가장 대표적인 것이 바로 면벌부(면죄부)야.

마르틴 루터

마르틴 루터는 95조 반박을 통해 가톨릭에 반기를 들었고 성경 번역을 통해 종교개혁뿐만 아니라 독일어 통일에도 기여하였다.

로마의 교황청은 4세기에 지어져서 낡을 대로 낡아버린 성베드로대성당을 헐고 새 성당을 지으려고 했어. 그러기 위해서는 많은 돈이 필요했는데, 그 비용을 면벌부를 팔아서 마련하려고 했던 거야. 면벌부가 뭐냐고? 벌을 면해 주는 종잇장이야. 기독교에 따르면 사람은 죄를 지으면 천국에 갈 수 없어. 그래서 천국에 가려면 죄를 용서받아야 하지. 죄를 용서받으려면 신부님에게 가서 고해성사를 하면 돼. 하지만 고해성사를 하면 죄는 용서받지만 벌을 받는 것까지 피할 수는 없어. 어떤 식으로든 죗값, 즉 벌을 받지 않으면 죽어서 곧바로 천국에 들어갈 수 없게 돼. 가톨릭교회는 바로 이 벌을 면하게 해주는 증서를 팔았던 거야. 루터는 이것을 비판하는 항의문을 붙였던 거고.

　루터는 항의문에서 죄를 용서하고 벌을 면하게 해주는 것은 교회나 면벌부가 아니라 하느님의 은혜이며, 하느님의 은혜를 받기 위한 방법은 오직 믿음뿐이고, 그 믿음의 근거는 성경이라고 주장했어. 이런 주장은 로마 가톨릭교회의 권위를 거부하는 것이었어. 1521년 결국 교회는 루터를 파문해 버렸지.

　그 당시의 독일은 하나의 통일된 국가가 아니라 수많은 제후국들로 나뉘어 있었고, 이중 특히 세력이 큰 일곱 제후국의 왕들이 선거로 황제를 뽑는 체제였어. 하지만 선거는 형식적인 것이어서 오늘날의 오스트리아에 해당하는 지역을 지배하고 있던 합스부르크가(家)의 왕이 항상 황제로 선출되었지. 이 황제가 신성로마제국의 황제가 되어 오스트리아, 독일의 제후국들을 비롯한 여러 나라를 다스렸어. 칼 5세(재위: 1519~1556)가 황제이던 때는 에스파냐(오늘날의 스페인)와 네덜란드, 수많은 해외식민지들까지 다스릴 정도로 엄청난 제국이었어. 칼 5세는 아들인 필립 2세에게 에스파냐와 네덜란드를 물려줬고, 그래서 에스파냐도 합스부르크 가문이 다스리게 된 거야. 독일의 제후국들 중에는 루터의 주장에 동의하는 나라도 있었고 동의하지 않는 나라도 있었어. 제후국들은 루터의 주장을 지지하는 신교파와 칼 5세가 주도하는 구교파로 나뉘었지. 1546년 마침내 이들 사이에 슈말칼덴 전쟁이 벌어졌고, 1555년 황제는 아우크스부르크 종교화의(宗敎和議)에서 루터의 신교를 승인하게 돼. 독일 내에서의 신교와 구교의 대립은 일단 이렇게 마무리되었어. 이후 독일의 루터파 신교는 북유럽 지역인 덴마크, 스웨덴, 노르웨이로 전파되었지.

제2장 데카르트, 근대 철학의 아버지

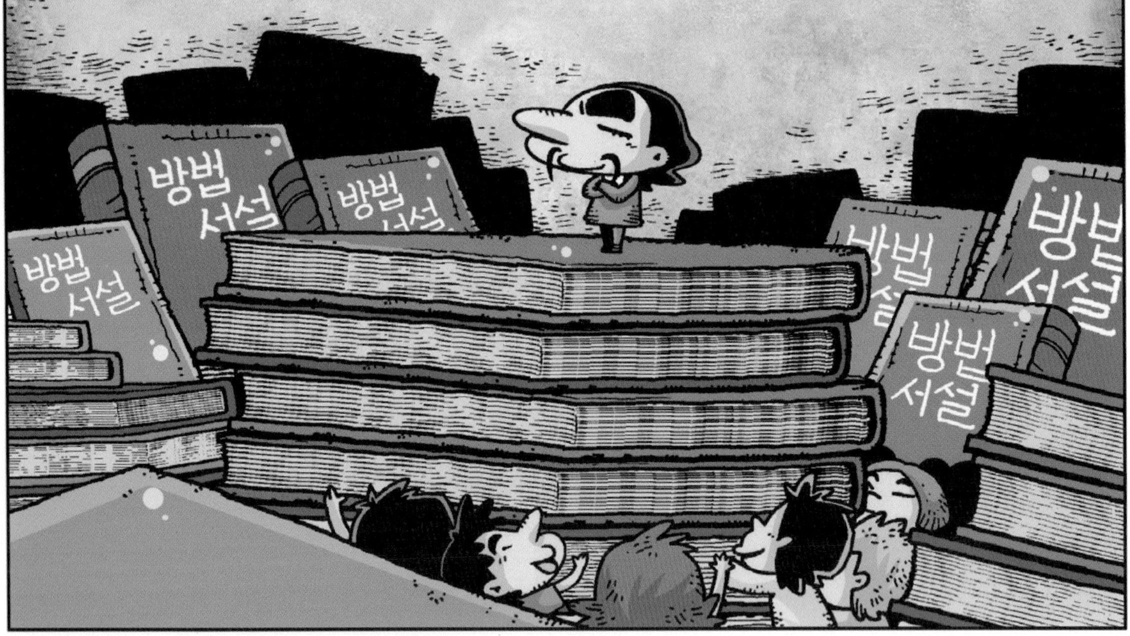

철학이 무엇인지는 몰라도 이 말은 한번쯤 들어 봤을 거야.

나는 생각 한다.
그러므로 나는 존재 한다

바로 내가 한 말이지.

하하 하하

철학사상 가장 유명한 말 중 하나인 이 말을 한 사람이 바로 데카르트야.

나는 이것을 제1원리로 삼아 나의 철학체계를 차근차근 세워 나갔지.

제일원리

그리고 바로 데카르트의 철학에서부터 서양 철학의 커다란 줄기인 합리론이 시작됐어.

르네 데카르트는 1596년 3월 31일에 프랑스 중서부 투렌 지방의 라에라는 마을에서 태어났어.

응애 응애~

그의 아버지 조아셍 데카르트는 브르타뉴주 고등법원 평정관이라는 법복 귀족이었어.

이 당시 프랑스에서는 고등법원과 같은 최고법원의 법관들에게 귀족 특허장을 주었지.

이 특허장을 받아 귀족이 된 사람들을 법복 귀족이라고 해.

데카르트는 어릴 적 몸이 아주 약했어.

데카르트의 어머니는 잔느 브로샤르라는 분이었는데, 그분 역시 몸이 약했다고 해.

결국 데카르트가 돌이 지난 얼마 뒤에 돌아가시고 말았지.

폐병을 앓았던 어머니의 병을 물려받았는지 데카르트는 허약한 아이였어.

가여운 것… 엄마의 사랑도 제대로 받지 못했는데….

그러나 데카르트는 자신의 약점으로 인해 오히려 사색하는 습관을 가지게 됐지.

외할머니댁에서 자란 데카르트는 열 살이 되던 해에 집을 떠나, 가톨릭 수도회인 예수회에서 설립한 라 플레슈 학교에 입학했어.

라 플레슈에서 데카르트는 중세식 교육을 받았어.

고전과 성경을 읽고 교부들의 가르침을 받았지만 난 그런 과목들을 별로 좋아하진 않았어.

그가 좋아했던 과목은 바로 수학이야. 데카르트가 어떤 의심에도 흔들리지 않고 확실한 바탕 위에서 철학을 세워야 한다고 생각한 것도 수학의 영향 때문이지.

수학의 답은 오직 하나! 절대 변하지 않는 정답이야!!

데카르트는 이 학교에서 평생의 습관이 되어 버린 늦잠 자는 버릇을 갖게 됐어.

단체로 기숙사 생활을 하는 학교에서 어떻게 늦잠을 잘 수 있었냐고?

바로 교장인 내가 허락했거든.

우수한 학생이었던 데카르트를 학교에서는 일어나고 싶을 때까지 잘 수 있도록 해줬어.

난 라 플레슈 개교 이래 가장 우수한 학생이었다고.

데카르트의 몸이 허약했다는 것도 어느 정도 작용했을 거야.

무리하다 쓰러지느니 충분히 쉬는 게 낫지.

그럼요~

데카르트가 잠만 자느라 늦게까지 침대에 있었던 것은 아니야.

....

그는 잠에서 깬 후에 침대에 누워 많은 생각을 했어. 이 버릇은 매우 비싼 것이어서 데카르트는 나중에 그 값을 치르게 되지.

난 잠에서 금방 깨어난 이때가 정말 좋아.

머리가 아주 맑아 사색하기에 좋거든.

많은 것을 배운 라 플레슈 학교를 졸업하고 데카르트는 1614년 푸아티에 대학에 입학해서 1616년 법학사 학위를 받았어.

난 지금까지 배워왔던 학문들에 큰 실망을 느꼈어.

대학을 졸업한 데카르트는 세상으로의 여행을 시작해.

그는 세상이라는 책 속에서 새로운 학문을 발견하려고 했던 거야.

세상 끝까지라도 가서 내가 원하는 것을 찾을 테다!

철썩

당시 유럽은 종교개혁으로 프로테스탄트(신교)와 로마가톨릭(구교)이 대립하여 매우 어수선한 상황이었어.

구닥다리들은 물러가라!

옛것이 좋은 것이여 이놈들!

와아하~ 와와

여러 곳을 여행하던 데카르트는 30년 전쟁이 발발한 1618년에 네덜란드로 가서 오랑쥬 낫소 가(家)의 마우리츠가 지휘하는 군대에 들어가게 돼.

충성!

이병 데카르트!

여긴 어느 편입니까?

당근 프로테스탄트지.

그것도 모르고 들어온 거냐?

데카르트는 여기서 이삭 베크만이란 수학자를 만나게 돼.

안녕! 반갑네~

수학자 시라고요~? 정말 반갑습니다.

베크만과 데카르트는 수학, 기계학, 음향학, 중력 등의 문제에 대해 많은 이야기를 나눴고, 이것은 데카르트의 지식을 넓히는 데 커다란 도움을 주었어.

만날 수다야.

둘 다 수염도 안 날 거야~

데카르트는 후에 베크만에게 책을 헌정하기도 했지.

이 《음악개론》을 베크만에게 헌정합니다.

음악개론

나중에 베크만이 바로 자기가 데카르트를 가르친 사람이라고 자랑하고 다니는 바람에 둘의 사이가 틀어지기는 했지만 말이야.

데카르트 그 놈, 내가 키운 거 맞다니까! 이 책을 나한테 헌정한 거 보면 모르겠어?

저런…

역시… 수다가 문제야.

이듬해인 1619년에 데카르트는 독일로 가서 가톨릭군인 막시밀리안 공작의 군대에 들어갔어.

충성!!

또한 프랑크푸르트에서 신성 로마 제국 황제 페르디난트 2세의 대관식을 참관하기도 했지.

작년에는 프로테스탄트, 올해는 가톨릭! 내가 줏대 없어 보인다고?

데카르트는 처음부터 쭉 가톨릭교도였어. 그가 군대에 들어간 것은 종교적 믿음 때문이 아니라 좀 더 넓은 세상을 바라보기 위해서였어.

그러니 가톨릭 군대든, 프로테스탄트 군대든 나에겐 별 상관이 없는 셈이지.

그 해 11월, 데카르트는 독일 남부 울름 근처의 어느 집에 머물게 되었는데…

그때 자신의 운명을 결정짓는 세 가지의 꿈을 꾸었다고 해.

으음~

으음~

그 꿈의 내용이 정확히 무엇인지 알려지지는 않았지만…

나는 어떤 길을 갈 삶의 것인가!

세 번째 꿈에서 본 이 의미심장한 문장을 데카르트는 하나님의 계시라고 생각했어.

그래! 나의 일생을 의심의 여지가 없는 확고부동한 학문을 세우는 데 보내자!

합리주의 창시자가 꿈에서 계시를 얻다니 참 이상하지?

꿈을 통해 계시를 받았다기보다는 나의 결심을 꿈에서 다시 확인한 것뿐이야!

하하

이듬해 봄 데카르트는 군대 생활을 끝내고 다시 여행을 떠나 여러 나라를 돌아보고 1622년에 프랑스로 돌아와서 1년 반 남짓 지냈어.

1616년에 대학을 졸업한 뒤로

1625년까지 거의 9년 동안이나 세상을 두루 구경하고 다닌 거야.

그리고 또다시 이탈리아로 여행을 떠나 여러 지방을 구경하고 1625년에 파리로 돌아왔어.

제법 긴~ 여행이지?

그가 그냥 여행만 했을까?

아니야. 나는 이 여행을 통해 세상에는 다양한 생활방식과 관습이 있지만, 나에게 확신을 주는 것은 아무것도 없으며, 따라서 관습이 가르쳐 주는 것을 맹신해선 안 된다는 걸 배웠어.

세상이라는 책 속에서는 진리를 찾기 어렵다는 것도 알게 되었지….

1625년 파리로 돌아온 데카르트는 메르센 신부님을 만나게 돼.

신부님~.

오~ 데카르트 아닌가! 이게 얼마만이야?

이 신부님도 데카르트가 다녔던 라 플레슈 학교를 나왔는데, 정신적으로 데카르트에게 많은 도움을 주었고, 평생 동안 변함없는 우정을 나누었지.

9년만이죠?

정말 오랜 여행이었군.

그래. 무얼 보고 왔는가?

메르센 신부님은 신학자, 수학자, 철학자이기도 했지만 다른 중요한 일도 하셨어.

우리 시대엔 전화도, 인터넷도 없기 때문에 사람들끼리 정보를 나눌 수 있는 방법이 거의 없었답니다.

그래서 학자들끼리도 누가 어떤 연구를 하고 있는지 모르는 경우가 아주 많았지. 몇 년이나 지난 후에 알게 되는 경우도 많았고…

허걱~ 지난 10년간 내가 연구한 결과를 새치기했어?

무슨 소리!! 난 20년이나 이 연구를 해 왔다고!!

이봐들, 진정하게! 그러니 진작에 날 이용했으면 좋잖아?

메르센 신부님은 학자들끼리 서로 정보를 나누는 것을 중개하셨어.

학자들이 내게 어떤 연구를 하고 있는지 편지로 보내주면 난 그것을 정리해 다른 학자들에게 알리는 역할을 했답니다~.

나도 신부님을 통해 다른 학자들의 정보를 얻었지~.

파리에서 3년을 지내면서 데카르트는 자신의 새로운 철학을 구체적으로 계획하고 있었던 것 같아.

이성을 올바로 사용하기 위한 규칙들을 적고 있는 《정신지도를 위한 규칙들》 이라는 책이 이때 쓰였지~.

그러나 이 책은 완성되지는 못했고 데카르트가 죽고 난 후인 1701년에 미완성인 채로 출간되었지.

난 아직 다 못 썼다구~.

세상이라는 넓은 책을 읽고도 확실한 진리를 찾지 못한 데카르트는 드디어 자기 자신 속에서 연구하기로 마음먹었어.

말을 타고 세상을 여행하는 대신 이성이라는 횃불을 들고 나 자신 속으로 여행하기로 마음먹은 거지.

그런데 당시의 프랑스는 가톨릭 교도와 프로테스탄트 교도 사이에서 벌어진 30년 전쟁으로 인해 몹시도 혼란스러웠어. 프랑스 뿐만 아니라 거의 온 유럽이 전쟁에 휩싸여 있었지.

으으~ 여러 사람을 만나 생활은 재미있지만 학문을 연구하기엔 파리는 너무 어수선해.

안 되겠어. 내게 무엇보다 필요한 건 마음의 평화야! 파리에선 결코 그것을 찾을 수가 없어!

결국 그는 1629년 네덜란드로 이주하게 돼.

난 크리스티나 여왕의 초청으로 스웨덴에 가기 전인 1649년까지 20여 년을 네덜란드에서 살았어.

물론 네덜란드도 전쟁에 참여하지 않은 것은 아니었지만….

그래도 프로테스탄트가 공인되어 다른 나라에 비해 안정되고 질서가 잡혀 있어서 좋아.

데카르트도 결혼을 했을까?

헉… 내 아픈 곳을.

정식으로 결혼을 한 것은 아니지만 헬레나 얀스라는 여인을 사랑했어.

우린 프랑신느라는 딸도 낳았어.

데카르트는 귀족이었지만 헬레나는 신분이 매우 낮아서 정식으로 결혼하지는 못했던 것 같아.

게다가 1640년 5살 난 딸마저 병으로 잃고 나서는 결혼 생활도 흐지부지 끝나고 말았지.

크흐흑~ 프랑신느~

데카르트는 프랑신느를 몹시 사랑했는데 그런 딸을 잃은 슬픔은 말로 표현할 수도 없이 컸을 거야. 데카르트는 이후 결혼도 하지 않았고 자식도 없었어.

네덜란드로 이주한 후 데카르트는 본격적인 연구를 시작해서 1633년에 《우주론》을 완성하고 막 출판하려는 순간….

데카르트!

소식 들었는가?

무슨 소식?

로마의 이단 심문소가 지동설을 주장한 갈릴레이에게 유죄를 선고했다는군!

뭐… 뭐야? 나도 이 책에 지동설을 옹호하는 글을 썼는데!

그러니 말일세. 이제 어쩔 텐가?

뭘 어째? 출판을 포기해야지.

이 책은 결국 데카르트가 죽고 난 후인 1664년에 파리에서 출판돼.

데카르트는 왜 그렇게 쉽게 출판을 포기했을까?

가톨릭 교회의 단죄가 무서웠냐고? 그건 아니야~.

데카르트는 책을 내는 일을 별로 좋아하지 않았고, 그 책의 출판이 가져올 여러 가지 골치 아픈 문제들로 인해

잘 숨어 사는 사람이 잘 사는 사람 —!!!!!

네덜란드에서의 조용하고 평온한 생활이 방해 받을까 걱정했기 때문인 거 같아.

저것이 내 좌우명이야! 난 나의 생활이 방해 받는 것을 죽도록 싫어한다고!

데카르트는 이후에도 철학과 자연과학에 대한 연구를 계속해서

1637년 《이성을 잘 인도하고, 학문에 있어서 진리를 탐구하기 위한 방법서설, 그리고 이 방법에 관한 에세이들인 굴절광학, 기상학 및 기하학》이라는 긴 제목의 책을

제목이 너무 기니까 줄여서 《방법서설》이라고 부르자~.

세상에 내놓게 되지. 바로 이 책이 우리가 앞으로 읽을 책이야.

이 책은 진리를 탐구하기 위한 방법을 보여주는 책이야~.

1641년 마침내 데카르트 형이상학의 집대성이라고 할 수 있는 《신의 존재와 영혼의 불멸을 증명하기 위한 제1철학에 관한 성찰》이라는 책도 출판되었어.

헉헉~ 이 책의 제목도 엄청 길지? 줄여서 그냥 《성찰》이라고 부를게.

데카르트는 이 책에서 인간의 영혼은 어떤 것인지, 신은 존재하는지, 물질의 본성은 무엇인지 등의 문제를 다루고 있어.

신? 물질? 영혼? 크허허~ 어려워~ 어려워~

하하하 걱정하지 마. 그런 어려운 내용들이 《방법서설》에서는 쉽게 설명되어 있으니까.

그게 쉽게 설명한다고 쉬워질 문제인가…? 아~ 걱정 말라니까.

1644년에는 《철학의 원리》라는 책이 출판되었는데,

철학의 원리를 비롯하여 우주, 물질, 태양, 지구와 같은 자연과학적 문제들을 다루고 있어.

왜 철학 책에서 과학의 문제를 다루냐고?

글쎄, 이 시대까지만 해도 철학과 과학의 구분이 분명하지 않았기 때문이라고 생각하면 될 거야.

데카르트는 이 책을 보헤미아의 공주이자 자신의 제자인 엘리자베스에게 바쳤어.

어머나~ 이 책을 나에게?

데카르트는 엘리자베스 공주와 자신의 연구에 대해 많은 이야기를 나누었지.

두 사람이 알게 된 건 1643년쯤이지만, 두 사람 사이에는 좀 더 깊은 인연이 있었지.

사람의 인연이란 참으로 오묘한 것 같아요.

당시 막시밀리안 공작과 연합한 페르디난트 2세가 가톨릭 군을 지휘하고 있었고, 이들과 맞서 싸운 프로테스탄트 군은 보헤미아의 왕 프리드리히 5세가 지휘하고 있었어.

내가 1619년에 막시밀리안 공작의 군대에 들어간 건 기억하고 있지?

난 그때 24세였고, 가톨릭 군이었지.

와아 와아

난 이제 겨우 2살,

프리드리히 5세의 딸이야~

프리드리히 5세는 이 전쟁에서 패해 가족과 함께 같은 프로테스탄트 국가였던 네덜란드로 망명하는데 엘리자베스 공주는 이때 네덜란드에서 데카르트를 만나게 되지.

우리 가족 좀 살려줘.

어서 와요~ 돈 많은 왕족 대 환영~!!

운명이 데카르트를 군인으로 만들었다면 두 사람은 스승과 제자가 아닌 원수 사이가 되었을 수도 있을 거야.

제가 일찍 제대하길 잘 했죠?

그러게요. 호호호~.

데카르트의 철학은 이원론이야.

이원론은 세계가 근본적으로 다른 두 개의 실체로 이루어져 있다고 주장하는 이론이야.

바로 정신과 물질이지.

정신의 근본적인 성질은 생각이고, 물질의 근본적인 성질은 크기야.

그럼 육체는요?

크기를 갖고 있으니 당연히 물질에 속하지요.

세계는 이렇게 서로 완전히 다른 두 개의 실체로 이루어진 것이랍니다.

어느 날 엘리자베스 공주가 정신과 육체가 어떻게 서로에게 작용하는지 물어 왔어.

내가 물을 마시고 싶다고 생각해서 팔을 움직여 컵을 잡았다고 해요. 내 생각(정신)이 내 팔(물질)을 움직인 거죠?

그렇지요.

그런데 정신은 크기가 없고 물질은 크기가 있다면서요?

예~ 맞습니다.

크기가 없는 것이 어떻게 크기가 있는 것을 움직일 수가 있는 건가요?

오~ 핵심을 찌르는 아주 좋은 질문이십니다.

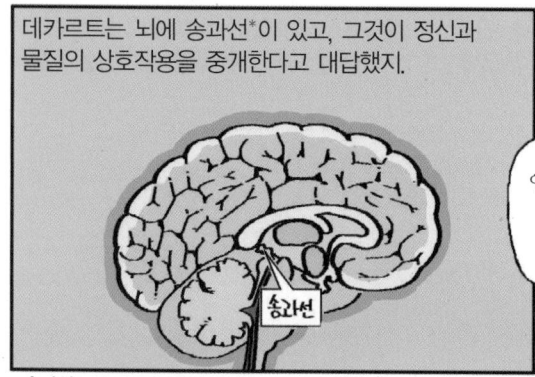

데카르트는 뇌에 송과선*이 있고, 그것이 정신과 물질의 상호작용을 중개한다고 대답했지.

송과선

그는 송과선 문제를 포함하여 몸의 작용과 사랑과 미움, 기쁨과 슬픔과 같은 감정 현상들을 다룬 《정념론》이란 책을 1645년부터 집필해서 1649년에 출간했어.

이 책 역시 영특하신 저의 제자 엘리자베스 공주님께 바칩니다.

고마워요~

열심히 읽고 공부할게요.

*송과선 – 솔방울 모양의 기관

《성찰》이 출간된 뒤로 많은 사람들이 데카르트의 철학을 알게 되었고, 그의 이름도 점점 유명해졌어.

오오~

데카르트 선생이다.

《성찰》을 쓰신 그 철학자님이지?

우리 사인 받을까? 유명한 분이잖아~

마침내 1649년에는 스웨덴의 크리스티나 여왕이 데카르트를 스톡홀름으로 초청하게 돼.

아니~ 일국의 여왕님께서 초청을 하셨는데 뭘 그리 망설이나?

그게… 왠지 내키지 않아….

뭔가… 예감이 안 좋아….

크리스티나 여왕은 해군 제독까지 보내 극진한 예우를 했고, 무엇보다 절친한 친구인 스웨덴 주재 프랑스 대사 샤뉘의 간곡한 부탁은 거절하기 힘들었지.

제발 부탁이네~ 자네가 끝까지 거절하면 내 입장이 정말 난처해 진다고~

으!

결국 데카르트는 초청을 받아들이기로 했어.

알았네… 스웨덴으로 가지.

스웨덴에 도착한 데카르트는…

자신을 기다리고 있는 일이 그다지 달가운 일이 아니라는 것을 알게 돼.

예~?

짐의 정신이 가장 맑은 시간인 새벽 5시를 우리들의 공부시간으로 정해 놓았소. 늦지 않고 와 주길 바라오.

늦잠 자는 버릇이 있던 데카르트에게 새벽 5시에 일어나는 건 고문이나 마찬가지였어.

나리~

나리~

일어나 십시오!

게다가 북유럽의 차가운 겨울 바람도 데카르트에게는 너무나 혹독한 것이었어.

휘이잉

잠을 제대로 못 자니… 더 추운 거 같아.

몇 달간 여왕을 가르치기 위해 차가운 새벽 바람을 쐬며 궁중을 드나들던 데카르트는 결국…

감기와 폐렴에 걸려 앓아 눕게 되었어.
1650년 2월 1일이었지.

아… 아….

앓아 누운 지 꼭 열흘째
되던 2월 11일…

후… 우….

결국 데카르트는 숨을 거두고 말았어.
이때 그의 나이 53세였어.

데카르트의 유해는 스웨덴에 묻혔다가 16년이 지난
1666년에 조국인 프랑스로 돌아왔다고 해.

데카르트
1596 -
1650

데카르트가 위대한 철학자라는 것은 말할 것도 없이
분명해. 그러면 인간으로서의 데카르트는 어떤
사람이었을까?

데카르트의 전기를
쓴 아드리앙 바이에
라고 해.

난 그의 전기에
데카르트가 상냥하며
겸손하다고 썼지.

오늘날에는 이런 주장이 그다지 정확하지는 않은
것으로 여겨지고 있어.

허걱~
왜?

데카르트의 행동이나 책에서
사용된 표현들에서 그의
성격을 몇 가지 짐작해 볼 수
있기 때문이지.

첫 번째는 그가 다른 사람들로부터 방해받는 걸
매우 싫어했다는 거야.

파리의 북적대는 생활이
싫어서 네덜란드로
이주한 거 알지?
네덜란드에서도 자주
이사를 다녔어.

왜냐하면
난 이웃을
만드는 게
싫거든.

이런 성격은 《우주론》을 출판하지 않기로 결정한 것을 봐도 잘 알 수 있어.

뭐야? 갈릴레이가 유죄판결을 받고 죽을 때까지 집에 갇히는 벌을 받았다고?

그가 출판을 포기한 주된 이유는 그것이 불러 올 복잡한 문제들 때문이었지.

난 지동설을 주장한 《두 우주 체계에 관한 대화》 때문에 교회로부터 벌을 받았어.

흑흑...

갈릴레이의 일은 간섭받는 걸 싫어했던 그에겐 끔찍한 소식이었지.

그렇게 사느니 차라리 책을 내지 않겠어!

둘째는 자존심이 매우 강했다는 거야. 이것은 그가 귀족이었기 때문일 수도 있고, 머리가 매우 뛰어났기 때문일 수도 있어.

하하하 하하

아마 두 가지 모두가 해당될걸?

그가 《우주론》의 출판을 포기한 또 다른 이유는 책을 내는 것을 좋아하지 않았기 때문이야. 책을 내는 것이 일종의 장사처럼 보이기 때문이었지.

귀족에게 장사는 어울리지 않아. 게다가 난 충분한 재산이 있다고.

그는 또 다른 사람의 지적인 능력을 낮게 평가하곤 했어. 그의 기하학을 비난한 수학자들을…

흥~ 멍청한 '파리'들 같으니라고.

파, 파리...

이런 이유로 어떤 사람은 데카르트를 '고상하고, 차갑고, 고독한' 사람이라고 묘사하기도 해.

데카르트!

너만 그리 잘났냐!

어쩜 그런 심한 말을~

흥

사람이 완벽할 수는 없어. 데카르트의 천재성과 고독과 자존심은 어쩌면 결코 분리될 수 없는 것인지도 모르지.

천재는 외로운 법이지.

저벅 저벅

데카르트는 '근대 철학의 아버지', '합리론의 창시자'라는 찬사를 받고 있어. 그는 어떻게 해서 이런 이름을 얻게 되었을까?

아부지~.

아빠

허걱! 난 자식을 둔 적이 없다고! 게다가 이렇게 많이?

데카르트가 세계를 구성하는 두 가지 실재는 정신과 물질이라고 했다는 건 앞에서 말한 적이 있지?

세계
정신 물질

그럼 정신과 물질 중에서 어떤 것이 더 근본적인 실재일까?

당연히 '정신'이지.

물질의 실재는 의심할 수 있어도 정신의 실재는 의심할 수 없거든.

이게 삶은 계란이야, 날계란이야? 의심스러워.

데카르트는 인간의 본질을 정신, 즉 이성이라고 생각해. 그러면 이 이성은 어디서 왔을까?

신께서 나누어 주신 거지.

아담 이브

인간은 어떻게 진리를 알게 될까?

이 사과가 진짜 선악과일까?

뭘 그리 고민하나.

아담 이브

인간은 경험을 통해 진리를 알게 된다고.

아… 안 돼~!!

아담 이브

쿠과과 콰콱!

으아악~

꺄악~!!

데카르트는 경험이 아니라 이성으로 진리를 발견할 수 있다고 생각해.

진작에 말해주지.

커흑흑.

아담 이브

이성을 통해 신이나 영혼에 대한 진리는 물론이고, 세계나 물질에 대한 진리도 모두 다 파악할 수 있다고 생각하지.

쯧쯧… 이성을 통하지 않고 신의 뜻을 알려 했단 말이야.

데카르트가 가진 이런 생각들이 합리론이라고 부르는 철학의 밑바탕이 되었기 때문에 그를 합리론의 창시자라고 부르는 거야.

창시자이자 선구자이시니 저희 철학도들에겐 아부지 맞습니다~ 예~.

뭐… 그렇다면야… 아버지라고 부르던가… 흠흠….

데카르트는 철학뿐 아니라 수학 분야에서도 커다란 업적을 남겼어.

내가 어릴 때부터 수학을 가장 좋아했다고 말했었지?

대표적인 것이 바로 해석기하학의 발견이야.

해석기하학은 말 그대로 대수를 이용해 기하학을 해석하는 수학의 한 분야란다.

이것으로 수학의 발전에 커다란 공헌을 했지.

그러니 우리 수학자들을 '파리'라고 무시하지.

그가 어떻게 해서 해석 기하학을 발견하게 됐는지에 대한 이야기도 아주 재미있단다.

재미있는 이야기는 뒤로 패스~ 기대하시라.

철학과 과학, 수학에 이르기까지 많은 업적을 남긴 데카르트.

그의 철학을 이해하기 위해 가장 먼저 읽어야 할 책이 바로 《방법서설》이야.

겁 먹지 말라니까~ 쉽고 재미있는 이야기로 가득한 책이야. 내가 보장해.

방법서설

그럼 지금부터 한번 펼쳐 볼까?

합리론과 경험론

르네 데카르트
서양철학의 큰 줄기인
합리론의 창시자.

우리는 어떻게 무언가를 알 수 있을까? 우리는 어떻게 지식을 얻을 수 있을까? 너희들 생각은 어떠니? 지식은 선생님이 가르쳐 주기 때문에 아는 거라고? 그러면 너희들 스스로 무엇을 알 때도 있는데 그건 어떻게 된 거지? 아마도 내 안에 참과 거짓을 구별할 수 있는 능력이 있기 때문이 아닐까라고 생각한 사람이 있다면 그 사람은 합리론자야. 우리가 무언가를 알 수 있는 것은 그것을 경험했기 때문이라고 생각하는 사람은 경험론자지. **합리론**은 이성으로 지식을 얻을 수 있다는 입장, 경험론은 지식은 오직 경험을 통해서만 얻을 수 있다는 입장이야. 데카르트가 오직 이성의 등불만으로 진리를 찾겠다고 말한 것은 그가 합리론자라는 것을 잘 보여줘. 물론 진리를 찾는 수단으로 이성을 중요하게 여긴 것은 데카르트가 처음은 아니야. 고대 그리스 시대부터 내려온 서양철학의 기나긴 전통이지.

지금으로부터 벌써 2400여 년 전에 플라톤은 우리가 살고 있는 세계는 보다 궁극적인 이데아 세계의 그림자일 뿐이라고 주장했어. 그러므로 참된 지식은 감각세계에 관한

플라톤
서양 학문사를 거슬러
올라가면 늘 그 꼭짓점에
플라톤이 있다.

지식이 아니라 이데아의 세계에 관한 지식인데, 그것은 오직 이성으로만 알 수 있다고 했지. 이데아가 뭐냐고? 정말 답변하기 힘든 질문이네. 혹시 붕어빵 좋아하니? 그러면 쇠로 된 붕어빵 틀을 본 적 있지? 붕어빵의 모양대로 파여 있어서 거기에 밀가루를 붓고 구우면 붕어빵이 만들어지잖아. 이데아의 세계와 우리가 살고 있는 세계의 관계는 붕어빵 틀과 붕어빵의 관계와 같아. 모든 붕어빵은 붕어빵 틀을 닮아. 또, 붕어빵은 구워져서 우리들의 입속으로 사라지지만 붕어빵 틀은 영원하지. 세계에 존재하는 모든 것들은 이데아의 세계에 있는 궁극적인 실재인 이데아를 닮아. 세계에 존재하는 것들은 생겼다가 사라지지만 그것들의 이데아는 영원하지. 주제와 동떨어진 이야기를 너무 많이 했네. 하지만 괜히 한 이야기는 아니야.

합리론에 의하면 경험이 없이도 지식을 얻을 수 있어. 참된 지식을 얻으려고 할 때는 오히려 경험이 방해가 되지. '완전한 신', '물질의 본질은 크기', '정신의 본질은 사유'와 같은 관념들은 경험과 관계없이 이성의 힘만으로 알아낸 지식들이야. 이성은 경험하지도 않고 어떻게 저런 지식을 알 수 있을까? 합리론자는 저런 관념들이 본래부터 우리의 정신 안에 들어 있었기 때문이라고 말해. 본래부터 정신 안에 들어 있는 그런 관념을 '본유(本有)관념'이라고 해. 본래부터 정신 안에 있었기 때문에 그것을 알기 위해서는 이성을 잘 사용하기만 하면 충분하지. 이성은 합리적 추론을 통해 지식을 점점 늘려나가. 데카르트를 보면 그것이 어떤 방법인지 알 수 있을 거야.

존 로크
합리론과 함께 경험론이라는 서양철학의 두 줄기 흐름을 만듦.

경험론에 의하면 모든 지식은 경험으로부터 비롯돼. 경험론을 주장한 대표적인 철학자는 영국의 로크(1632~1704)야. 경험론자는 본유관념이 있다는 것을 부정해. 로크에 따르면 마음(정신)은 아무것도 쓰여 있지 않은 흰 종이와 같아. 처음에는 마음속에 아무런 관념도 들어 있지 않은데, 백지에 연필로 글씨를 쓰듯이 마음에 경험으로 관념이 써진다는 거지. 경험에는 두 종류가 있어. 눈, 귀, 코와 같은 감각기관을 통해 경험한 것과 믿고, 생각하고, 의심하고, 추론하는 것과 같은 마음의 작용을 통해 경험한 것이 바로 그거야. 첫 번째 경험을 감각이라고 하고 두 번째 경험을 반성이라고 해. 관념은 모두 이 두 가지 경험으로부터 비롯돼. 그러면 경험론에서는 어떻게 지식을 얻을 수 있다고 주장할까? 관념들 간의 연결과 일치, 또는 불일치와 모순을 인식함으로써 지식을 얻을 수 있어. 예를 들면, '희다'는 관념과 '검다'는 관념이 일치하지 않는다는 데서 '흰 것은 검은 것이 아니다'라는 지식을 얻게 되지.

경험론을 끝까지 밀고 나가면 어떻게 될까? 우리가 아는 것은 모두 경험으로부터 비롯된다는 주장을 끝까지 밀고 나가면 있는 것은 오직 지각된 경험뿐이라는 결론에 이르기가 쉬워. 그런 결론에 도달한 사람이 경험론의 또 다른 철학자인 흄이야. 흄은 '마음의 외부에 어떤 실체가 존재한다'는 우리의 믿음은 단지 마음이 그렇게 생각하는 것일 뿐이라고 주장해. 어떤 유명한 TV드라마에서 '내 안에 너 있다'라는 대사가 나온 적이 있어. 흄에 따르면 이 대사처럼 '너'는 단지 내 마음속에 있는 것일 뿐 실제로 내 마음의 밖에 네가 있는지 없는지는 알 수 없어. 이런 생각이 경험론과 합리론의 또 다른 차이를 잘 보여줘. 합리론에서는 정신의 외부에 있는 실체를 의심하지 않거든. 오히려 정신이 갖고 있는 관념의 원인이 외부에 존재하는 실체라고 생각하지. 합리론자들은 플라톤의 이데아와 그것의 그림자로서의 세계라는 구도를 기본적으로 갖고 있어. 합리론에서 이성이 중요한 이유는 그것이 그림자인 감각세계를 꿰뚫어 그 뒤에 있는 진짜 세계, 이데아의 세계를 볼 수 있게 해주기 때문이야. 그런 의미에서 합리론은 참된 세계, 참된 존재를 연구하는 학문인 형이상학과 밀접하게 연결되어 있지.

데이비드 흄
경험론을 더욱 발전시킨 철학자.
(1711–1776)

제3장 학문에 대해 생각하다

여러분 안녕!
난 데카르트라고 해.
앞에서 나에 관한 소개가
있었으니 이제 모두들
알겠지?

그럼! 위대한 철학자!
합리론의 창시자!

그래, 잘 알고
있군.

내가 수수께끼
하나 낼까?

어려운 거
말고.

사람들은 누구나 할 것 없이 자신이 이것을 충분히 갖고 있다고
생각해. 또 아무리 욕심이 많은 사람이라도 이것만큼은 더 많이
가지길 원하지 않아.

이것은 뭘까?

어…
어렵다….

답이 꼭 하나만 있는 건 아니니까 여러 가지
가능성을 모두 다 생각해 봐.

음….

음….

더 많이 갖기 원하지 않는다니 돈이나 재물은 아닐 테고… 모든 사람이 갖고 있다니 필요 없는 것도 아닐 텐데….

혹시 눈이나 손 아니야? 사람들이 2개면 충분하다고 생각하잖아. 손이 3개이길 바라는 사람은 없을걸?

호오~ 그럴 듯한데? 하지만 내가 원하는 답은 아니야.

어려워~.

그건 바로 이성이야.

여성, 남성의 그 이성?

이성?

그 이성이겠냐? 쩝!

이성이란, 생각하는 능력, 즉 올바로 판단하는 능력, 거짓으로부터 참을 구별해 내는 능력이야.

내가 젊었을 때 네팔 중서부를 갔다가 히말라야 근처 안나푸르나를 지나 깊은 오지에서 엄청난 고대 유적을 발견했는데…

저 말이 진짜일까?

글쎄, 허풍 같기도 하고.

그러면 모든 사람이 충분한 이성을 갖고 있는데, 왜 어떤 사람은 이성적인 반면, 어떤 사람은 그렇지 않냐고?

2000년 전의 유적지에… 세상에나 거대한 우주선이 있는 거야.

그… 그래서?

진짜?

말도 안돼!

왜냐하면 이성은 갖고 있는 게 중요한 게 아니라 잘 사용하는 것이 중요하기 때문이지.

사람은 누구나 이성을 갖고 있어.

이성

하지만 어떤 사람은 그것을 사용하지 않고 그저 갖고 있기만 하고, 다른 사람은 그것을 열심히 갈고 닦아 유용하게 사용하지.

이성은 무슨~ 술하고 물만 구별할 줄 알면 돼.

이성을 갈고 닦기 위해서는 책을 읽고 사색하는 것만큼 좋은 것이 없지.

이성을 잘 인도하고, 학문에 있어 진리를 탐구하기 위한 방법서설

이제 내가 왜 책 제목을 저렇게 지었는지 알겠지?

이성을 잘 사용하기 위한 방법과 규칙을 이야기하고 싶었던 거야?

하하~ 내가 좀 지나치게 이해력이 좋은 편이지.

오~ 맞았어. 훌륭해~.

사람들은 나를 세기의 천재라고 하지만, 난 내 정신이 다른 사람들보다 뛰어나다고 생각해 본 적이 없어.

저 사람… 천재 철학자 데카르트 아냐?

맞아. 우리와는 차원이 다른 사람이래~.

사람을 사람이도록 해주는 가장 근본적인 성질은 이성이야.

사람이 이성이 없다면 너하고 무슨 차이가 있겠니?

사람이 한 이성을 갖는다는 점에서는 서로 아무런 차이가 없어.

저 사람들의 오해를 풀어 줘야겠어.

나도 다른 사람들이 가진 만큼의 이성을 갖고 있을 뿐이야.

사람들은 누구나 똑같은 이성을 갖고 있답니다. 당신도, 나도 말입니다.

내가 이 책에서 소개하려고 하는 방법을 발견하고 그것을 통해 내 정신이 다다를 수 있는 가장 높은 곳까지 인식을 끌어 올릴 수 있었던 건 단지 운이 좋았기 때문이라고 생각해.

그것에 대해 좀 더 진지하게 얘기 좀 합시다.

아… 아니요. 전 할 얘기 없어요.

난 내가 어떤 길을 걸어왔는지 얘기하고 싶어.

진리를 찾아 가는길

그리고 내가 찾아낸 것이 진짜 다이아몬드인지, 아니면 단순한 유리 조각인지 다른 사람의 의견도 듣고 싶어.

결코 다른 사람을 가르치려는 의도가 아니라 단지 내가 어떻게 했는지를 보여주고 싶을 뿐이야.

집에 가고 싶어. ㅠ.ㅠ

나는 어릴 때부터 여러 학문을 배웠어.

그리스, 로마의 고전, 라틴어, 역사, 문학, 수학, 신학, 철학… 헉헉~ 배울 게 너무 많아.

애야~ 넌 왜 그렇게 무리해서 공부를 하니?

예, 전 학문을 통해 명백하고 확실한 진리를 얻을 수 있을 거라 확신하니까요!

하지만…

졸업을 축하한다. 그래, 네가 원하던 지식은 모두 얻었니?

아니… 아니요. 이게 아니에요.

얘… 얘야!!

그때서야 난 수많은 의심과 오류의 늪에 빠져 옴짝달싹 못하는 나 자신을 발견했어.

지금까지 그토록 열심히 공부한 학문에서 배운 거라곤 나 자신이 무지하다는 것뿐이에요.

뭐…?

내가 다녔던 학교는 유럽에서 가장 이름 높은 곳이었어.

이른바 8학군이라고나 할까. 하하~.

그리고 나 자신도 다른 학생들에게 결코 뒤지지 않은 학생이었고…

데카르트~ 전교 1등!

감사합니다~.

또 우리 시대엔 뛰어난 학자들도 많았지.

나?

아냐~ 나야~.

나 말이야?

웅성 웅성

아냐, 아냐!! 이게 아니라고!!

나는 내가 기대했던 그런 학문은 결코 학교에서 찾을 수가 없었어.

학교가 아니라면 어디에서 찾아야 하는 겁니까?

혹시… 학교를 다니는 게 무의미하다고 생각하는 거야?

물론 아니야. 학교에서 배웠던 학문도 소중하게 생각해.

그리스어와 라틴어를 배우지 않았으면 고전을 이해할 수 없었을 거야.

뭐야… 무슨 내용인지… 읽을 수가 없잖아~.

또 역사를 모르면 누가 어떤 위대한 일을 했는지도 모를 테고…

나를 따르라~

누구신데요?

그러면 누구를 본받아야 할지도 모르게 되고, 위급한 일을 당해서도 어떻게 행동해야 할지 판단할 수 없을 테니까.

119에 먼저 신고 해야지. 학교에서 안 배웠어?

불이야~

불이야~

시를 배우지 않는다면 감수성도 기를 수 없을 거야. 수학을 모른다면 기술을 발전시킬 수 없을 테고…

기술이 발달되지 않는다면….

뼈 빠지게 몸으로 때워야지 뭐.

또, 도덕을 배우지 않는다면 어떤 행동이 옳은지 어떻게 알 수 있겠니?

하하하~ 공원 전체가 우리들 쓰레기통이야.

ㅋㅋㅋ

신학을 배워야 천국에 갈 수 있는 방법을 알 테고…

지옥에 가서 신학을 공부해 보면 알게 될 거야.

헉~ 난 왜 지옥에 가는 거야?

수사학을 배워야 그럴듯하게 말할 수 있고, 철학을 배워야 대화에 뒤떨어지지 않을 테고, 돈을 많이 벌려면 법학이나 의학을 배워두면 되고….

그만~!!

그리고 또….

제발 그만해! 그렇게 좋은 학교 공부에 무슨 불만이 있다는 거야.

불만이라니? 학교에서 배운 학문들도 그 나름대로의 가치가 있다고 말하는 중이잖아.

물론 내가 찾는 건 없지만….

그 말이 그 말 아니냐고?

난 책을 읽는 것과 여행을 하는 것이 거의 같은 거라고 생각해.

자~ 이제 떠나 볼까?

우리는 책 속에서 다른 나라, 다른 시대의 사람들을 만날 수 있으니까…

안녕~

안녕~ 반가워요~

띵호~ 누구냐 해?

누야?

책을 많이 읽어서 다른 나라, 다른 사람들, 다른 풍습들을 많이 알게 되면 무엇이 좋을까?

친구들 앞에서 아는 척, 잘난 척을 할 수 있지.

하하… 너다운 생각이군….

내 생각엔 우리와 다른 방식으로 살아가는 사람들을 우스꽝스럽다고 생각하지 않게 된다는 것이 가장 좋은 것 같아.

아… 가령 아랍의 여성들이 이상한 천으로 둘둘 말고 다녀도 이상하게 보이지 않는다는 거지?

그렇지!

아랍 여성들이 히잡이라는 천으로 온 몸을 감고 다니는 것은 그들의 종교인 이슬람교가 여성들의 노출을 금기하고 있기 때문이야.

그럼 그럼~.

우린 종교에 충실한 거지, 미개한 게 아니라고.

이슬람에 대한 책을 읽은 사람은 충분히 이해할 수 있을 거야.

책을 많이 읽으면 장점도 있지만, 단점도 있어. 다른 나라에 대한 책만 열심히 읽다보면 정작 자신의 나라에 대한 사정을 모르게 되거든.

이봐~ 버스비 오른 지 한 30년 됐거든?

헉~ 까맣게 몰랐어요.

또 지난 시대를 다룬 책을 너무 많이 읽으면 현재의 일은 모르게 돼.

사회 부적격자

흑흑~ 요즘 애들하고 어울릴 수가 없어.

무엇이든 지나치면 오히려 해가 되는 법이지….

나는 그리스어와 라틴어를 공부하고 고전과 역사를 읽는 데 충분한 시간을 쏟았다고 생각했어.

역사책은 좀 더 재밌게 하기 위해 사건을 부풀리거나 바꿀 수도 있잖아.

에이~ 사실을 기록한 역사서인데… 설마 그랬으려고~.

설령 그렇게까지 하지 않았더라도 사소한 사건은 역사에서 사라지기 일쑤야.

뭐… 그럴 수도… 그 많은 걸 일일이 다 적을 수는 없잖아?

하지만 그렇게 되면 과거가 실제로 어땠었는지 제대로 알 수가 없잖아.

하긴, 그것도 맞는 말이네.

나는 시도 매우 좋아했어.

하지만 시는 배우는 것이 아니라 타고난 재주라고 생각해.

데카르트는 크리스티나 여왕의 초청으로 스웨덴에 머물 때….

어? 누구…?

여왕의 부탁으로 베스트팔렌 조약의 체결을 축하하는 '평화의 탄생'이라는 시를 지었었지.

뉘야?

수사학에 대해 말하자면….

수사학은 자신의 생각을 효과적이고 아름답게 표현하기 위하여 말이나 문장을 꾸미는 학문이야~.

자꾸 말 끊을래?

당신 누구야?

미안… 저는 미래에서 당신을 만나고 싶어 온 철학도입니다. 전 이만….

나왔다 더나! 더나오!

자신의 생각을 잘 전달하기 위해서 일부러 이 학문을 배울 필요는 없어.

뭐? 미래? 웃기는 놈이군!

제가 필요할 때 또 나오죠.

사샥

표준어를 사용하지만 횡설수설하는 사람과 사투리를 사용하지만 조리 있게 말하는 사람 중에서 사람들에게 누구의 말이 더 잘 전달될까?

당연히 조리 있게 말하는 사람이지.

맞았어.

일부러 배울 필요 없이 생각을 순서대로 정리하고 조리 있게 추론하는 능력만 있으면 되는 거야.

혹시….

지금 그동안 배워왔던 여러 학문들이 왜 명백하고 확실한 진리를 얻는 데 도움이 안 되는지를 말하고 싶은 거야?

맞았어.

하지만 수학은 다른 학문들과 좀 많이 달라.

나는 수학을 참 좋아했어. 물론 지금도 그렇고….

하필이면 그렇게 어렵고 지루한 걸 좋아하고 그래?

끝까지 들어 봐!

내가 수학을 좋아하는 이유는 증명이 확실하고 분명하기 때문이야.

그렇구나~.

이렇게 확실하고 분명한 수학을 왜 다른 곳에 응용하지 않는지 나는 항상 이상하게 생각했어.

수학이야 기계 만드는 데나 필요하지 뭐.

맞아! 기계는 정확한 계산과 답이 있어야 만들 수 있으니까~.

다른 학문들도 수학처럼 확실하고 분명하다면 결코 의심 받지 않을 텐데.

사람들은 왜 그걸 모를까…?

난 결심했어!!

모든 학문을 수학처럼 단단한 기반 위에 세우겠다고!!

뭐… 뭘?

난 수학이 어떤 방법을 쓰는지 관찰했고, 그것을 이용해 내 방법을 만들어 냈어.

찾았어!! 나만의 방법을 찾았다고.

이제 어떤 학문이든 단단한 기반을 가질 수 있을 거야! 하하하.

좀… 오버하는 거 아냐?

지금까지 내가 배운 학문들 중 단단한 기반 위에 서 있는 것은 수학 빼고는 아무 것도 없었어!

도덕은 어떨까? 너는 도덕이 확실한 학문이라고 생각하니?

그… 그거야… 당연히….

우리가 생각하는 정의가 세상 모든 사람들이 생각하는 정의와 같을까? 한 사람도 의심하지 않을까?

왜 나한테 그래?

어떤 곳에서는 괜찮은 일이 어떤 곳에서는 죄가 될 수도 있지.

당신을 1부1처제 위반으로 체포한다!

아랍에선 지금도 1부다처제가 합법이라고요~.

같은 죄라도 어떤 나라는 가벼운 처벌을 받는 일이 어떤 곳에서는 크고 무거운 벌을 받는 경우도 있어.

소매치기 전과가 없으므로 징역 1년! 땅땅!

소매치기? 당장 광장으로 끌고 가 손목을 잘라라!

왜 이런 일이 벌어질까?

내가 어찌 알어~.

그것은 무엇이 착하고 좋은 일인지, 다시 말해 무엇이 덕인지에 대해 아무도 확실히 알지 못해서 그런 거야.

떡?

떡이 아니고 덕(德)!!

수학처럼 확실하고 분명하게 무엇이 덕인지 안다면 나라에 따라 덕이 달라지는 일은 없을 거야.

이것의 답은?

5~!!

$2+3=$

5~!!

신학에 대해서는 별로 할 말이 없어.

신학은 기독교의 교리나 신앙을 연구하는 학문이야. 쉽게 말해 하나님을 배우고 연구하는 학문이지.

신의 계시는 인간의 지성의 범위를 넘어서기 때문에 우리의 보잘것없는 추리력으로는 결코 이해할 수 없어.

하느님~.

어찌 제게 이런 시련을 주시나이까~.

네가 신의 뜻을 알아? 하하~.

신의 뜻을 알기 위해서 필요한 것은 추리력이 아니라 신의 은총이야.

신의 은총이 있어야만 가능한 학문에 대해 내가 이렇다 저렇다 할 수는 없어.

데카르트는 나중에 신의 존재를 증명하게 돼. 그는 신과 영혼의 문제는 철학이 다루어야 한다고 주장했지.

왜냐하면 신의 존재와 영혼의 불멸을 믿지 않는 사람들을 설득하기 위해서는

신학이 아니라 철학이 필요하다고 생각했기 때문이래~.

방법서설

신학과 달리 나는 철학에 대해서는 불만이 있어. 모두들 알고 있는 것처럼 수천 년 동안 뛰어난 많은 사람들이 철학을 연구했어.

그럼에도 불구하고 철학에는 확실한 것이란 하나도 없고 죄다 의심스러운 것들 뿐이야.

같은 주제를 연구한다면 참인 것은 언제나 하나여야 하는데, 철학자들은 언제나 서로 다른 의견을 내놓는단 말이야.

그래서 난 어떤 의견이 단지 그럴 듯하기만 한 경우 그 의견은 거짓이나 마찬가지라고 생각하기로 했어.

나는 지금까지 말한 것뿐 아니라 나머지 다른 학문들도 결코 단단한 토대 위에 서 있다고는 생각하지 않아. 왜냐하면 그 학문들도 원리는 철학에서 빌려오고 있기 때문이지.

마지막으로 연금술과 점성술…

오~ 연금술은 납이나 구리 따위로 금을 만들어 보려는 기술이고, 점성술은 별을 보고 점을 치는 기술이지? 나 이런 거 진짜 좋아해~.

그래, 많은 사람들이 관심을 갖고 있고 그들에게 속아 넘어가기도 하지.

우리 아이가 이번에 대학에 합격할까요?

돈은 얼마가 들어도 좋으니 꼭 금을 만들어 내게.

염려 마십시오 나리~.

별님께 물어 봅시다~.

하하, 바보~ 구리가 어떻게 금이 되니~?

대학에 가려면 공부를 해야지 별님은 왜 찾아~?

저… 저런 나쁜 사람들!

사람들이 진즉에 그것들이 얼마나 저급한 학문인지 알았다면 저렇게 속지 않았을 거야.

난 학문의 토대가 이렇게 빈약하다는 것을 알게 되었어. 그래서 학교를 졸업하자마자 책을 집어 던져 버렸지.

난 이제 이런 것 필요 없어~!!

헉~ 데카르트~!

아니… 너 뭐하니?

여행가려고요.

여행? 이렇게 갑자기? 어디로 갈 건데?

책 속으로요.

뭐? 어디?

난 세상이라는 거대한 책 속에서 지식을 찾아 보기로 했어.

이곳 저곳을 다니며 참 많은 구경을 했지.

네덜란드에서는 군대에도 들어갔고,

독일의 프랑크푸르트에서는 황제의 대관식도 구경했어.

또 다양한 성격과 신분을 가진 사람을 만났어. 하지만 만족스러운 결과를 얻을 순 없었지!

철학자들의 의견이 다 다른 것처럼 세상에는 수많은 생활방식이 있었던 거야.

이런 경험에서 내가 얻은 교훈은

관습을 통해 배운 걸 너무 굳게 믿어선 안 된다는 거야.

관습은 때때로 이성의 활동을 방해하기도 하거든.

왼손은 응가 닦는 손이라 몇 번을 말해야 알겠니? 밥 먹을 땐 오른손만 쓰는 거야.

오랜 여행을 하면서 난 내가 갖고 있던 수많은 잘못된 생각을 없앨 수 있었어.

하지만 확실한 진리는 결국 찾지 못했지.

그래! 다른 곳에서 찾을 게 아니라 나 자신에게서 진리를 찾자!

아니, 얘야. 돌아오자마자 또 뭐하니?

이사 가려고요.

뭐~어?

내가 싫은겨?

나는 1629년 프랑스를 떠나 네덜란드로 이주했어.

그래, 바로 여기야! 아무에게도 방해받지 않고 내 자신의 내면을 여행하고 조용히 책을 볼 수 있는 곳!

종교개혁과 종교전쟁(②)

30년전쟁(1618~1648)은 앞서 말한 독일의 상황, 프랑스의 상황, 에스파냐와 네덜란드의 상황 등이 복합적으로 얽혀서 발발한 최대의 종교전쟁이야. 시작은 신성로마제국 황제인 페르디난트 2세(재위 : 1619~1637)의 보헤미아(지금의 체코) 신교도 탄압이었어. 황제의 탄압에 화가 난 신교의 귀족들이 황제의 관리들을 성의 높은 창문에서 밖으로 내던져버렸지. 떨어진 곳이 거름더미 위여서 죽은 사람은 없었지만 이 일은 전쟁의 직접적인 계기가 됐어. 페르디난트 2세는 바이에른 공(公) 막시밀리안 1세와 동맹을 맺었고, 선제후(황제를 뽑을 자격이 있는 제후) 중의 한 명이었던 팔츠의 프리드리히 5세를 중심으로 신교 제후들이 뭉쳤지. 5년여를 싸우다가 신교 제후들이 결국 황제에게 패했고, 프리드리히 5세는 가족과 함께 네덜란드로 망명을 하게 돼. 이분의 따님이 바로 데카르트의 제자인 엘리자베스 공주야. 하지만 전쟁은 여기서 끝나지 않았어. 독일의 땅에 욕심을 갖고 있던 덴마크가 1625년에 신교군을 이끌고 쳐들어 온 거야. 이때부터 종교적인 이유보다는 각자 자기 나라의 이익을 위해 너도 나도 전쟁에 뛰어들게 돼. 스웨덴을 비롯하여 네덜란드, 프랑스가 한 편이 되고, 합스부르크가

칼뱅

칼뱅의 청교도는 이후 박해를 피해 신대륙으로 건너가 미국인의 정신적 선조가 되었다.

의 신성로마제국과 에스파냐가 한 편이 되어 싸웠지. 당시 프랑스는 가톨릭국가였지만 신교 진영에 참가했는데, 왜냐하면 합스부르크가와 유럽의 주도권을 놓고 다투고 있었기 때문에 합스부르크가가 승리하도록 가만히 내버려둘 수는 없는 상황이었거든. 밀고 밀리던 전쟁은 1648년의 베스트팔렌 조약으로 마침내 끝나게 돼. 하지만 전쟁이 벌어졌던 독일의 수많은 도시와 제후국들은 이미 만신창이가 되어 있었어. 반대로 다른 나라들은 많은 것을 얻었지. 네덜란드는 1566년부터 시작된 에스파냐와의 긴 전쟁을 마무리 짓고 결국 독립

덴마크 왕 크리스티안 4세
개신교 측에 서서 황제군과 싸웠다.

을 얻어냈어. 프랑스는 합스부르크가를 제치고 유럽의 최강국으로 떠올랐고, 스웨덴도 발트해의 지배권을 확실하게 쥐게 되었어. 스웨덴 역사상 최고의 시기라고 할 수 있지. 이때가 바로 크리스티나 여왕(재위 : 1632~1654)이 다스리던 시대였어. 여왕은 학문과 예술을 장려했고, 그래서 데카르트를 스웨덴으로 초청했던 거야. 베스트팔렌 조약으로 독일에서는 루터파뿐만 아니라 칼뱅파도 공식적으로 인정을 받게 돼. 각 제후국들은 종교의 자유로운 선택을 보장받았을 뿐만 아니라 다른 나라와 동맹을 맺을 권리도 얻게 되었어. 따라서 이들 제후국에 대한 합스부르크가의 신성로마제국의 지배력은 거의 사라지게 되었지.

제4장 스스로 진리를 찾아 나서다

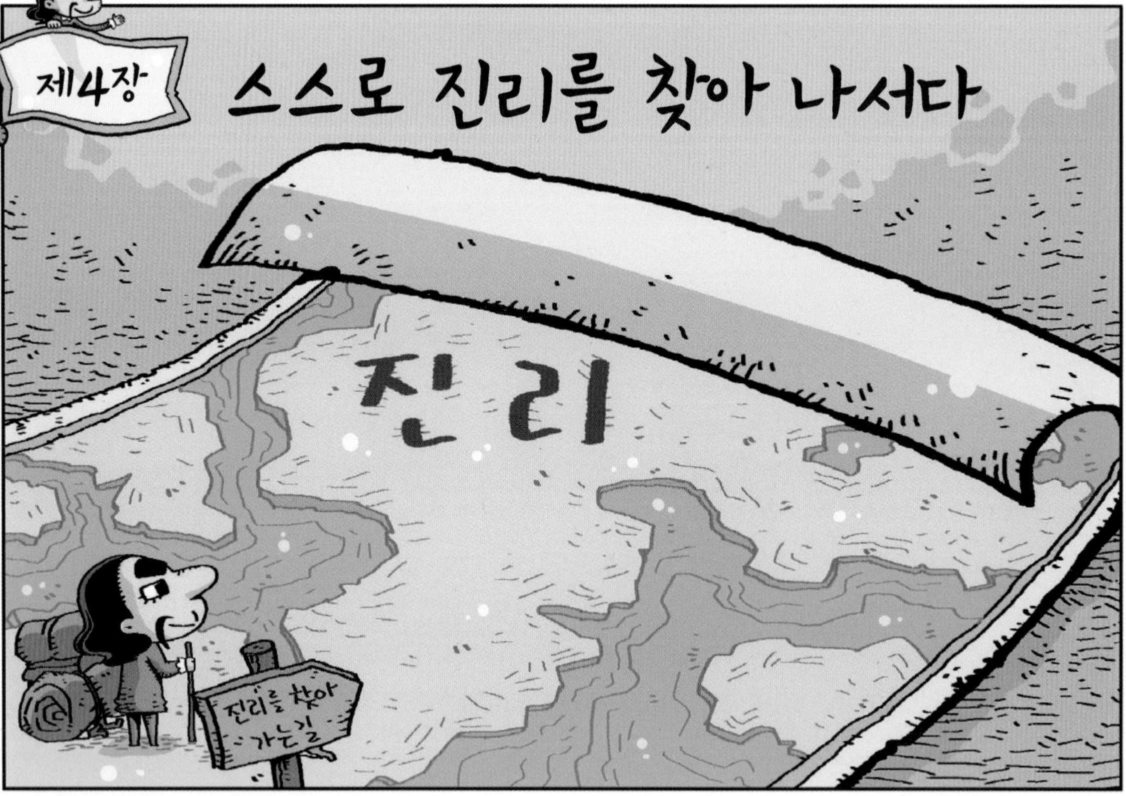

1619년에 나는 독일에 있었어. 30년 전쟁이 막 벌어진 참이었고, 나는 가톨릭 진영인 막시밀리안 공작의 군대에 몸담고 있었지.

페르디난트 2세의 황제 대관식을 보고 나서 부대로 되돌아 가던 중 겨울이 되어 울름 근처에 있는 어느 작은 마을에 머물게 되었지.

나는 하루 종일 난로가 지펴진 따뜻한 작은 방에서 시간을 보냈어.

귀찮게 말을 거는 친구도 없었고, 아무런 근심 걱정도 없었기 때문에 여유롭게 생각에 집중할 수 있었지.

하~
얘기만 들어도 졸리다.

그러고 싶냐?

난 생각할 게 없거덩.

내가 처음 해 본 생각은 완전성에 관한 거야.

여러 명의 기술자들에 의해 만들어진 물건과 한 사람의 기술자에 의해 만들어진 물건 중 어느 것이 더 완전할까?

당연히 여러 명이 만든 게 완전하지.

그런것도 몰라?

정말 그렇게 생각해?

당연하지! 확실해!

그러면 한 사람의 건축가가 설계하고 완성한 집과

흠…

여러 사람의 건축가가 각자 재료를 가져와 끼워 맞춘 집 중에서 어느 것이 더 아름답고 완전할까?

여긴 파란 타일이 어울린다고~.

어허~ 무슨 소리! 참나무 무늬 벽을 만들 거야~.

그게 어울린다고 생각하냐들?

허걱~ 그… 그런….

이젠 확신이 흔들리지?

응….

그럼 하나 더 물어 볼게. 처음에는 작은 마을이었지만, 세월이 지나면서 사람들이 많이 모여 들어 점점 커진 도시가 있어.

또다른 도시는 처음부터 한 사람의 도시공학자가 디자인해서 세운 도시야.

흐음… 강물이 흐르니 저 곳은 공원을 만들고….

두 도시 중에서 어느 곳이 더 잘 배치되어 있을까?

여기서 잠깐!

도시공학이란, 좋은 도시를 만들기 위해 건물, 도로, 공원 같은 것들을 어디에 어떻게 지어야 하는지 연구하는 학문이야.

그럼 먼저 오랜 시간에 걸쳐 만들어진 도시를 볼까?

크고 작은 건물들이 제멋대로 들어서 있고, 길은 구불구불… 정리가 안 돼 있군.

그거야 필요할 때마다 일단 건물을 짓고 보니까~.

급한 거부터 하다보면 정작 필요한 건 만들 자리가 없지.

이와 달리 한 사람의 설계자가 계획해서 만든 도시는 건물들이 질서 있게 지어져 있고, 길도 반듯해.

도시의 미관과 편리함, 미래지향성 등을 고려해서 설계했답니다~ 음무핫핫~.

계획된 도시가 우연에 의존한 도시보다 더 완전하다는 생각이 들지 않니?

들어.

그런데 왜 뜬금없이 건물이나 도시 얘기가 나온 거야?

도시가 주제가 아냐. 학문에 대해 얘기하려고 예를 든 것뿐이야.

어떤 주장을 많은 사람들이 인정하면 아무런 증명도 하지 않은 채 자기의 토대로 삼는 학문이 있다고 해 보자.

여러분~ 이건 사과예요. 인정하나요?

예~ 사과로 인정합니다.

이런 학문들은 매우 쉽게 지식 창고를 늘려 갈 수 있을 거야.

많은 사람이 인정하기만 하면 지식이 된다고. 후훗.

이런 학문과 자신이 아는 범위에 있는 어떤 일을 이성을 사용해 틀림없이 증명한 것 중 어느 것이 더 완전할까?

이것은 사과가 아닙니다! 바나나예요! 바나나란 파초과에 속하는

다년생 초본 식물로서 ~ 주로 열대나 아열대 지방에서 과수로 재배되며…

헉!

당연히 젊은 학자가 맞지.

그래. 바로 내가 하고 싶은 말이야.

아무런 증명도 없이 지식을 아무리 많이 쌓아 놓는다고 해도 이것은 단 하나의 확실한 증명보다 완전하지 못해.

나… 나에겐 아직 이 만큼의 지식이 있어!

아 글쎄, 증명을 해보라니까~.

하지만… 증명하지 못 했다고 해서 무조건 지식이 아니라고 비난할 수 있을까?

오~ 대단해! 어찌 그리 날카로운 질문을.

내가 티를 내지 않아서 그렇지 어릴 땐 영재 소릴 들었다고~ 에헴.

하하~ 그래 믿어 줄게.

무슨 선심쓰듯….

아무런 계획 없이 마구잡이로 건물들이 들어선 도시가 보기 싫다고 해서 그 도시를 전부 파괴할 수는 없는 일이지.

어… 어찌… 우리집이 한순간에 무너졌어….

엄마~ 우리 오늘 어디서 자?

그러게 말이야. 보기는 흉해도 소중한 보금자리였는데….

도시를 아름답고 질서 있게 만들려면 조금씩 고쳐 나가야 해.

자, 일단 이 곳의 쓰레기장을 외곽으로 옮깁시다.

그래요~ 이곳엔 작은 공원을 만들면 좋겠어요.

학문도 마찬가지야. 증명되지도 않은 지식을 사용하고 있다고 해서

그런 학문들을 모조리 없애버릴 수는 없는 거야.

맞아. 그렇게 한다면 우리의 정신은 아무 데도 기댈 곳이 없을 거야.

그럼 자기 자신이 가진 생각이나 의견은 어떨까?

응?

이건 도시나 학문의 경우와는 다르게 전체적으로 쭉 검토해 볼 수 있겠지 ?

흐음… 내 생각이 어디서부터 틀리기 시작했는지… 어젯밤 처음 생각이 떠올랐을 때부터 짚어가 보자.

혼자 조용히 있을 때 졸기만 하지 말고 지금까지 아무런 의심도 없이 갖고 있었던 의견들을 검토해 보라고.

의심스럽거나 분명하지 않은 것은 버리고, 보다 나은 것이 있다면 그것을 받아들여.

아~ 의심스러운 것들만 정리해서 버렸는데도 정신이 훨씬 더 질서 있고 완전해지는걸!

아~ 상쾌해~♥

그런데 왜 사람들은 확실하지 않은 학문을 고칠 생각을 하지 않는 걸까?

특히 철학은 고칠 부분이 아주 많지.

어쩌면 너무 익숙해져 버려서 그런 건 아닐까?

마치 사람들이 더 빨리 갈 수 있는 곧은 길을 찾아볼 생각은 전혀 하지 않은 채 오랫동안 지나다녔던 구불구불한 길로만 가려고 하는 것처럼 말이야.

난 내 자신이 학문을 개혁할 만큼 높은 위치에 있다고는 생각하지 않아.

이 책을 쓰는 이유는 단지 내가 시도했던 일을 보여 주고 싶어서야.

다른 사람들에게 내가 했던 것처럼 지금까지 받아들였던 의견들을 모조리 의심해 보라고 권할 생각도 없어.

자~ 생각해 보세요~.

여러분이 얼마나 틀린 생각을 해 왔는지~

누구래?

몰라. 새로 생긴 사이비 종교인가 봐.

세상에는 내가 했던 일에 적합하지 않은 두 부류의 사람들이 있어. 이런 사람들에게는 특히 권할 생각이 없어.

어떤 사람들?

나는 아니지!

첫 번째는 자기 자신이 실제보다 더 똑똑하다고 생각하고 성급하게 결론을 내려 버리는 사람들이야.

맞아!

맞아!

내 말이 맞다니까~

10초도 생각 안 했거든?

이런 사람들은 차근히 순서에 따라 생각을 이끌어가는 인내심이 없어.

순서는 무슨 순서! 일단 결론부터 보자고!!

이렇게 성급한 사람들에게 학문을 의심할 것을 허락하면 어떻게 될까?

뭐야~ 결론이 왜 이래? 이거 너무 의심스럽잖아.

이것저것 모조리 의심하기만 할 거야.

으아아~ 세상이 모두 의심스러워! 믿을 게 하나도 없다고.

의심만 하는 것은 아무런 소용이 없어. 의심만 하면 언제 진리를 찾아내겠어?

두 번째는 자신이 다른 사람들보다 참과 거짓을 구분하는 능력이 모자란다고 생각하는 너무 겸손한 사람들이야.

이 문제를 어떻게 생각하나?

아… 저같이 부족한 자가 무얼 알겠습니까.

1+1=

이들은 자기보다 나은 사람의 견해를 따르기만 할 뿐…

전 무조건 선생님의 말씀을 믿는답니다~.

자기 스스로 좀 더 나은 의견을 찾으려고 하지 않아.

아니~ 그래도 자네의 의견이 있을 거 아닌가?

제가 감히 선생님의 말씀에 무슨 의견이 있겠습니까?

이런 사람들은 아예 처음부터 의심해 볼 생각을 하지 않을 거야.

이 친구는 대체 생각이 있긴 있는 건가?

만약 내가 어느 시대건 가장 똑똑한 학자들 사이에서도 의견 차이가 있다는 것을 몰랐다면 나는 아마도 두 번째 부류에 속했을 거야.

내가 옳다니까~.

무슨 소리!

내가 옳아!

난 이미 가장 현명한 철학자들도 제각각 다른 의견을 주장한다는 걸 알고 있었지.

진작 알아서 다행이야.

또 앞에서 말했던 것처럼 여행을 많이 다녀서 세상에는 많은 관습이 있다는 것도 알고 있었고.

다른 나라 사람들은 우리와 관습도 다르고 언어노 다르지만 그들 역시 이성을 사용한다는 것도 알게 되었지.

많은 것을 배우고 경험하면 여러 가지 생각을 하지 않을 수가 없게 돼.

내가 식인종들 사이에서 자랐다면 어땠을까?

왜 10년 전에는 멋있었던 옷이 지금 보면 촌스러워 보일까…?

이렇게 이런저런 생각들을 하면서 난 알게 됐어.

맞아~ 바로 그거야!

우리의 생각을 지배하는 것은 지식이 아니라 관습이나 전례라는 것을 말이야.

우리도 바보는 아니거든?

내가 식인종들 사이에서 자랐다면 난 다른 사람을 잡아먹어도 된다고 생각했을 거야.

허어엉~ 살려줘 데카르트~.

오~ 맛있겠는걸?

똑같은 옷이 과거에는 멋있다가 지금은 촌스럽게 변한 이유는 그때의 생각과 지금의 생각이 달라졌기 때문이지.

옷은 그대로인데 생각만 변한 거야~.

난 많은 관습을 발견했지만 정말로 확실한 진리는 찾을 수가 없었어.

이것도 진리가 아니고.

저것도 아냐~.

모든 사람들이 동의하면 관습이 돼.

맛있어!

맛없다니까요.

맛있어!

그래서 사람들이 있는 곳에는 관습이 있지.

촤악-

하지만 모든 사람들이 동의한다고 해서 진리가 되는 것은 아니야.

사람은 먹는 게 아니야!

커흐흑 고마워

진리는 여러 사람이 아니라 오히려 한 사람에 의해 발견되기가 쉬워.

보물을 찾자~!

응?

나는 내가 따를 만한 의견을 가진 사람을 찾을 수가 없었어.

그럼 어디서 진리를 발견했어?

그래서 나 자신을 이끌어 진리를 찾아내고자 결심한 거야.

하지만 진리에 이르는 길은 너무도 어둡고 컴컴했어. 내 앞길을 밝혀 줄 등불은 오직 이성뿐이었지.

이성

난 어두운 밤길을 혼자 걸었고, 넘어지지 않으려면 내 앞에 무엇이 있는지 조심스럽게 살피면서 아주 천천히 걸을 수밖에 없었어.

이성이라는 등불로 내가 지금까지 갖고 있었던 믿음과 의견들을 하나하나 비추어서 버려야 할 것과 계속 갖고 있어야 할 것을 구분해야 했어.

또 앞으로 나아가기 위해서는 어떤 방법으로 이성이라는 등불을 활용해야 하는지에 대해서도 많은 생각을 했어.

후우… 너무 힘들어… 이 이성을 어떻게 활용해야 잘 활용했다고 소문이 날까?

결국 나는 이성을 더 잘 사용하기 위해서는 사용의 방법을 정할 필요가 있다는 걸 깨달았지.

사용방법?

예를 들면 컴퓨터나 게임기를 사면 사용설명서가 있잖아?

그곳에는 기계를 안전하게 사용하는 방법과 여러 가지 기능을 사용하는 방법이 적혀 있어.

사용설명서가 없다면 기계를 편리하고 효과적으로 사용하기가 어렵겠지?

뭐야? 이거 왜 안 켜져?

또, 기능을 익히는 데도 많은 시간이 걸릴 테고 어떤 기능은 영영 알지 못할 수도 있어.

불편하지만… 간단한 식탁으론 괜찮아.

이와 비슷하게, 이성의 사용설명서를 만들 필요가 있다는 걸 이야기하고 있는 거군! 그렇지!

그러면 어떻게 사용 방법을 만들었어?

나는 철학과 수학에 매우 큰 관심이 있었어.

철학에는 여러 분야가 있는데 그 중에서 특히 논리학을, 수학에서는 기하학과 대수를 열심히 공부했지.

이 학문들은 확실하고 명백했기 때문이야.

방법을 만들려면 확실하고 정확해야 하니까~

아니야~ 이것들도 결코 완전하지가 않아~!!

논리학은 모르는 것을 알게 해주는 학문이 아니라

그럼 어떤 학문이란 말야?

이미 알고 있는 것을 남에게 잘 설명하기 위해 필요한 학문이었지.

논리학에는 좋은 규칙이 많지만 불필요한 규칙도 그만큼 많이 있어.

그래? 어떤 규칙이 불필요해?

그것들을 분리하는 건 돌덩어리에서 여신상을 조각해 내는 것만큼이나 어려운 일이지.

이걸 언제 다 깨나~.

기하학은 어떨까?

이것은 점, 선, 삼각형, 사각형, 원, 구, 다면체와 같은 도형들을 연구하는 학문이야.

도형을 상상하지 않고서는 도무지 이해할 수가 없어.

이것도 아냐~ 상상력을 지치게 하는 학문이야~.

그렇다면 대수는?

우리는 대수의 규칙과 기호에 얽매여서 정신이 향상 되기는커녕 오히려 더 혼란스러워져 버렸어.

난 이 세 가지 학문의 장점은 그대로 가지면서 단점은 없는 그런 방법을 찾아내자고 생각했어!

그래서 찾았어?

당연하지! 이제부터 이야기 할 네 가지 규칙이 바로 그것이야!

에개? 규칙이 겨우 네 가지? 실망~.

하하~ 가짓수만 많다고 좋은 게 아니야.

법률도 그 수가 적으면 적을수록 지키기 쉬운 것처럼 규칙도 마찬가지야.

그래도… 네 가지는 너무 적은 거 아냐?

아니. 난 네 개면 충분하다고 생각해. 들어보면 너도 같은 생각일 거야.

여기서 잠깐~

데카르트가 갑자기 어려운 얘기들을 꺼내 놓았지?

또 너냐?

논리학? 기하학? 대수? 평소에 어려울 거라고 생각하던 과목들이 한꺼번에 쏟아져 나오니….

하하하하~

울상이 된 너희들 얼굴이 눈에 선하네.

고흑

맞아

하지만 걱정 마. 전혀 어렵지 않아. 우리끼리 쉽게 알아보고 지나가자.

고… 고마워.

저런~ 받아 적을 필요 없어. 그냥 차분한 마음으로 읽기만 하면 돼.

그래?

우선 논리학.

논리학은 생각의 올바른 형식이 어떤 것인지 연구하는 학문이야.

논리학

즉, 어렵게 이야기하면 논리학은 타당한 논증 형식을 연구하는 학문이라고 할 수 있어.

왜 이렇게 어려워? 쉬울 거 같더니.

하하~ 정말 그렇네….

이봐… 내가 얘기하던 도중에 나와서 뭐 하는 거야?

미안

잠시만 기다려 주세요. 당신의 얘기를 더 잘 전달하기 위한 거랍니다.

그렇다면야…

'형식' 이라는 말을 가슴 속에 깊이 새겨두도록 해. 아주 중요한 말이니까.

그럼 여기서 예를 하나 들어 볼게.

그래, 어서 설명해 봐!

모든 사람은 죽는 존재이다.
모든 남자는 사람이다.

따라서, 모든 남자는 죽는 존재이다.

이런 논증을 삼단논증이라고 하는데 지금으로부터 2천 년도 훨씬 전에 고대 그리스의 철학자인 아리스토텔레스라는 분이 그 체계를 세웠어.

하하하

논리학을 처음 배울 때 가장 먼저 삼단논법을 배워. 그만큼 논리학의 기본이란 말이지.

아리스토텔레스

선 윗부분의 두 문장을 전제라고 하고, 선 아랫부분의 문장을 결론이라고 해.

결론을 내리기 위해서는 우선 기초가 있어야겠지? 그 기초에 해당하는 것을 전제라고 하는 거야.

맨 처음 문장을 대전제, 두 번째 문장을 소전제라고 불러.

네가 보기에 이 삼단논증은 옳은 것 같니?

잘 모르겠다고? 하하~ 자신감을 가져.

모든 사람은 죽고 모든 남자는 사람이니까 죽는다.

옳지! 그래. 이 삼단논증은 옳아.

하지만 이제부터 '옳다' 라는 말 대신 '타당하다' 라는 말을 쓰기로 하자. 왜냐고? 어떤 학문이건 전문 용어라는 게 있는 거야.

'타당하다' 라는 말은 논리학의 전문 용어지. 전문 용어를 써서 다시 말하면 이 삼단논증은 '타당해'. 어때? 훨씬 그럴싸해 보이지?

정말 그렇네!

그럼 다른 타당한 논증의 예를 하나 더 들어 보자.

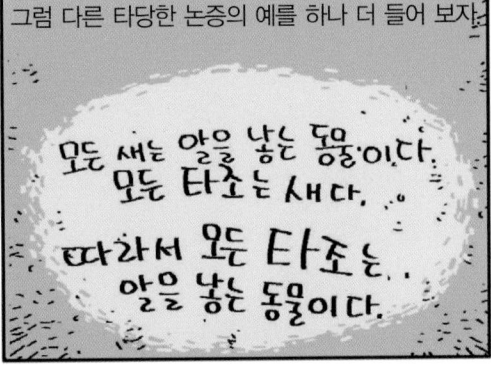

모든 새는 알을 낳는 동물이다.
모든 타조는 새다.

따라서 모든 타조는 알을 낳는 동물이다.

이 두 논증을 보면서 뭔가 머리에 떠오르는 거 없니? 아직 잘 모르겠다고? 이 논증들은 다음과 같은 형식을 갖고 있어.

모든 A는 B이다. - 대전제
모든 C는 A이다. - 소전제

따라서 모든 C는 B이다 - 결론

갑자기 알파벳이 나온다고 당황해 하지는 마.

문장의 형식을 분명하게 드러내기 위해 일반화시킨 것뿐이야.

A, B, C 대신 다른 글자가 들어가도 괜찮아. 이렇게 일반화시켜 놓으면 두 논증이 같은 형식을 갖고 있다는 걸 쉽게 알 수 있지.

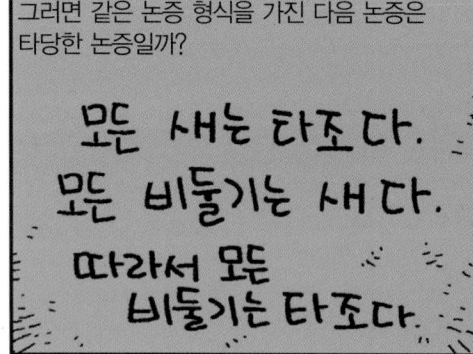

자, 이제 질문 하나 할게.

위 논증 형식에서 대전제와 소전제가 모두 참인데 결론이 거짓이 되는 게 가능할까?

부… 불가능 할 것 같은데…?

그래. 맞았어! 절대로 불가능하지.

바로 이럴 때, 다시 말해 전제(대전제와 소전제)가 모두 참이면서 결론이 거짓이 되는 것이 불가능할 때 그 논증은 '타당하다'고 해.

그러면 같은 논증 형식을 가진 다음 논증은 타당한 논증일까?

모든 새는 타조다.
모든 비둘기는 새다.
따라서 모든 비둘기는 타조다.

황당하기는 하지만 이 논증도 타당한 논증이야. 왜 그럴까? 그건 이 논증도 타당한 형식을 갖고 있기 때문이야.

실제로 모든 새가 타조라는 전제는 거짓이야. 그리고 모든 비둘기가 타조라는 결론도 거짓이지.

타조=비둘기=?

하지만 논증이 맞고 안 맞고는 아무 상관이 없어. '타당성'은 논증의 형식에 대해 사용하는 말이니까.

즉, 모든 새가 타조라면 모든 비둘기는 당연히 타조겠지? 따라서 타당한 논증이야.

논리학은 이처럼 타당한 논증형식을 찾아내는 학문이야. 어떤 내용인지는 별 상관이 없지. 아직도 헷갈려? 그럼 재미있는 예를 하나 들어서 설명해 볼게.

자~ 여기 과자를 살 수 있는 자동판매기가 있어.

이 자동판매기에는 1천 원짜리와 5천 원짜리 지폐만 사용할 수 있어.

흐음... 좀 비싸지만 맛있어 보이는 9천 원짜리 과자를 사자.

철수는 마침 5천 원짜리 지폐 2장을 갖고 있었지.

심심한데 장난이나 칠까?

뭐야 뭐야? 이 자판기 고장난 거 아냐?

고장이라니! 5+5-9=1이라고 정확히 계산해서 1천 원 거슬러 줬잖아!

자동판매기는 지폐 위에 적혀 있는 문장을 이해했기 때문에 1천 원을 거슬러 준 게 아니야.

난 지폐가 얼마짜리인지만 인식할 수 있어. 글을 읽은 게 아니라고~ 흥!

기술자가 정확히 작동하는 자동판매기를 만들기 위해서는 덧셈과 뺄셈의 규칙을 알아야 해.

그럼~ 기계는 수학이라고.

마찬가지로 논리학자가 타당한 논증을 만들기 위해서는 타당한 논증이 어떤 규칙을 지켜야 하는지, 다시 말해 논증의 형식을 알아야 하는 거야.

기계라는 게 0.001의 오차만 있어도 작동이 안 되는 예민한 녀석들이거든.

그래도 그건 계산이 되는 수학이잖아. 논리가 더 골치 아프다고.

자동판매기에 사용할 수 있는 돈이 정해져 있는 것처럼 삼단논법에 사용할 수 있는 문장도 정해져 있어.

다음의 네 가지 문장 유형만 사용할 수 있어.

모든 x는 y이다.
어떤 x도 y가 아니다.
어떤 x는 y이다.
어떤 x는 y가 아니다.

이 네 가지 문장 유형을 사용해서 삼단논증을 만들고, 그렇게 만든 것들 중에서

타당한 논증을 찾아내는 것이 데카르트 시대까지 논리학자들이 했던 일이야.

자동판매기가 좋아질수록 사용할 수 있는 돈의 종류도 많아지고 복잡한 계산도 할 수 있게 되잖아.

난 점점 더 정교해지고 똑똑해지고 있다고~ 으쓱.

마찬가지로 논리학도 이후에 많은 발전을 해서 사용할 수 있는 문장의 종류도 훨씬 많아지고 복합 문장의 진리값을 계산할 수도 있게 되었어.

돈 종류가 많아져 봤자지. 니가 논리를 알아?

그러면 데카르트는 왜 삼단논법이 모르는 것을 알게 해 주는 것이 아니라

이미 알고 있는 것을 남에게 설명하는 데 도움이 될 뿐이라고 했을까?

다시 맨 처음의 예로 돌아가 보자!

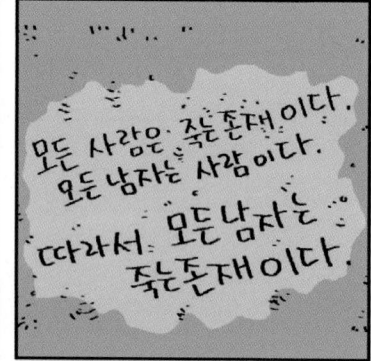

모든 사람은 죽는 존재이다.
모든 남자는 사람이다.
따라서 모든 남자는 죽는 존재이다.

그래, 맞아. 우리는 이 논증의 결론을 전에는 몰랐다가 논증을 통해 알게 된 게 아니야.

어, 정말. 결론은 이미 전제에 포함되어 있었네.

'모든 사람은 죽는 존재이다' 라는 전제의 '사람' 이라는 말에는 이미 남자와 여자라는 개념이 들어 있지.

당연하지. '사람' 이 남자만 말하는 건 아니지.

여자도 사람이거든.

방법서설

데카르트는 결론은 이미 전제에 포함되어 있던 주장을 되풀이하는 것에 지나지 않으므로

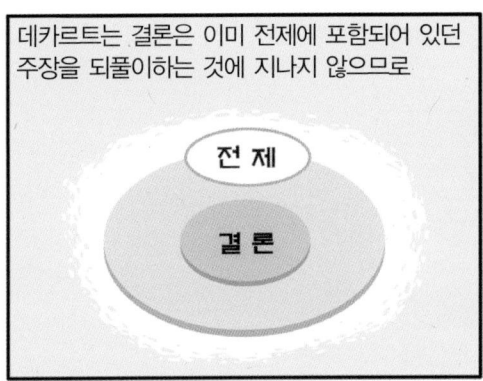

전 제

결 론

결론보다는 전제 그 자체를 증명하는 것이 중요하다고 생각했어.

만날 같은 말만 되풀이 하지 말고 증명을 해보라니까!

아~ 그게 증명이라잖아.

논리학자들은 자기들이 친 삼단논법이라는 거미줄에 자신들이 걸려들어 버렸어.

허걱~ 빠… 빠져나갈 수가 없어.

걸리라는 새로운 진리는 하나도 걸리지 않고… 오히려 우리가 걸렸어.

그런데 데카르트는 왜 이런 논리학을 좋아한 거야?

데카르트는 논리학이 연역의 방법을 가르쳐 지성을 훈련시켜 주기 때문에 좋아했을 뿐, 그것을 통해 진리를 발견할 수 있다고 생각하지는 않았어.

진리를 발견하는 방법은 따로 있다고 생각했지.

진 리

호오~ 그게 뭔데?

다음 장에서는 방법의 규칙들이 무엇인지 데카르트가 자세하게 설명해 줄 거야. 기하학과 대수에 관한 이야기도 좀 할 거고.

하지만 도형의 면적을 구하거나 방정식을 푸는 방법 같은 건 나오지 않을 테니까 미리 겁먹지 마.

왜 많은 학문 중에 하필 수학의 방법을 채택했는지 설명할 거니까.

복잡한 이야기 읽느라 수고했어. 잠깐 쉬고 다시 시작하자.

뭐야? 잠깐 얘기하는 줄 알고 양보해 줬더니 마무리까지 하고….

스토아학파와 에피쿠로스학파

제논
제논은 아테네의 아고라에 있는 회랑(주랑)에서 강의했는데 그 회랑을 '스토아'라고 불렀으며 거기서 '스토아학파'의 명칭이 유래했다.

데카르트가 말하고 있는 두 번째와 세 번째 격률은 바로 스토아학파가 주장한 도덕론이야. 스토아학파는 기원전 3세기경 그리스의 키프로스 섬 출신의 철학자 제논에 의해 창시되었어. 로마의 황제철학자로 유명한 마르쿠스 아우렐리우스도 스토아학파에 속하지. 스토아학파의 철학 중에서 가장 널리 알려진 것은 금욕주의적 윤리학이야. 이 윤리학은 나중에 기독교에도 스며드는데, 우리가 잘 알고 있는 수도사의 금욕적인 생활방식이 바로 스토아 윤리학의 영향을 받은 거야. 데카르트가 다녔던 라 플레슈 학교는 가톨릭의 수도회인 예수회에서 세운 것인데, 따라서 그가 스토아적 도덕관을 갖고 있는 것은 하나도 이상한 일이 아니지. 스토아학파는 **쾌락을 버릴 것, 괴로움을 참고 견딜 것, 마음과 행동이 흔들리지 말 것** 등을 주장했어. 또 공공생활에 참여할 것도 권하고 있는데, 데카르트는 이 주장은 별로 맘에 들지 않았나봐. '잘 숨어 사는 사람이 잘 사는 사람'이라는 말을 좌우명으로 삼을 정도로 사람들로부터 방해받는 것을 싫어했으니 말이야. 다시 본론으로 돌아와서, 사람은 대개 편한 것, 즐거운 것, 쾌락을 주는 것을 좋아하고 괴롭거나 고통스러운 것은 피하고 싶어 해. 그런데 스토아학파의 도덕관은 좀 이상하지? 쾌락

을 버리고 괴로움을 참고 견디라니! 스토아학파는 어떻게 이런 도덕관을 갖게 됐을까? 그것은 스토아학파가 가진 자연에 대한 입장을 살펴보면 알 수 있어. 스토아학파에 따르면 존재하는 것은 오직 물질뿐이야. 이 물질이 자연을 만들고, 짐승을 만들고, 인간을 만들어. 그러면 물질은 어떻게 저렇게 다양한 모습을 가질 수 있을까? 플라톤 같으면 물질이 이데아를 모방하기 때문이라고 대답했겠지만, 스토아학파는 물질 속에 스스로 그렇게 될 수 있는 힘이 있기 때문이라고 생각했어. 그 힘은 바로 '이성(logos)'이야. 이 이성은 인간이 갖고 있는

플라톤
서양 학문사를 거슬러 올라가면 늘 그 꼭짓점에 플라톤이 있다.

이성을 뜻하기도 하지만, 인간에게만 있는 것이 아니라 모든 것 안에 들어 있어. 이성은 만물의 안에서 만물을 움직이는 힘이야. 그래서 이성은 '세계법칙'이라는 이름으로 불리기도 해. 스토아학파의 윤리학은 이런 자연관을 바탕으로 하고 있어. 스토아학파에 따르면 삶의 최고의 가치는 바로 자연의 원리, 즉 이성을 따르는 거야. 쾌락, 기쁨, 즐거움, 고통, 욕심, 분노, 두려움 같은 감정들은 인간에게 속하는 것일 뿐 자연의 원리는 아니야. 따라서 인간은 이런 감정들에 흔들려서는 안 되며 오직 이성의 명령에만 따라야 하지. 스토아학파가 아파테이아('감정이 없는 상태'를 가리키는 말이야), 결단, 의무, 충실, 극기, 단념, 엄격함과 같은 덕목들을 주장하는 것은 이것들이 모두 이성의 명령이기 때문이야.

　스토아학파가 이성에 따르는 금욕적인 삶을 주장하는데 반해, 에피쿠로

스학파는 쾌락이 최고의 가치라고 생각해. 에피쿠로스학파는 제논과 비슷한 시기에 살았던 에피쿠로스라는 철학자에 의해 세워졌어. 세워진 시기도 스토아학파와 비슷하고, 기원후 약 4세기경까지 지속됐다는 점도 서로 비슷해. 에피쿠로스학파는 **쾌락을 선, 고통은 악**으로 보았기 때문에 최고의 행복은 쾌락을 얻고 고통으로부터 벗어나는 거야. 그러면 에피쿠로스학파는 육체적인 쾌락을 좇아 방탕한 생활을 했을까? 아니야. 그렇지 않아. 에피쿠로스학파가 쾌락을 얻기 위해 선택한 방법은 끊임없이 쾌락의 뒤를 좇는 것이 아니라 스스로 만족하는 것이었어. 예를 들어, 맛있는 음식을 추구하다보면 점점 더 맛있는 것을 원하게 되고, 결국 아무리 맛있는 음식을 먹더라도 맛있다는 것을 느끼지 못하지. 하지만 만족하는 법을 배운다면, 아무리 검소한 음식에도 쾌락을 느낄 수 있어. 게다가 음식을 간소하게 먹으면 건강까지 얻게 되므로 우리는 결국 만족을 통해 더 큰 쾌락을 얻을 수 있어. 또, 에피쿠로스학파는 육체적인 쾌락보다 정신적인 쾌락이 더 우선되어야 한다고 생각했어. 정신은 어디에서 쾌락을 얻을 수 있을까? 정신은 끝없는 자극과 동요가 아니라 평화와 고요함에서 쾌락을 느껴. 음식에 대한 끝없는 욕심이 감각을 지치게 하는 것처럼 끝없는 동요와 불안은 정신을 지치게 할 뿐이지. 에피쿠로스학파에 따르면 고통을 피하는 것도 쾌락을 얻는 것만큼이나 중요해. 우리를 가장 고통스럽게 하는 것은 무엇일까? 에피쿠로스는 신과 죽음에 대한 공포라고 생각했어. 하

에피쿠로스
에피쿠로스의 쾌락은 욕망에 휘둘리지 않는 자연적 욕구의 충족과 문란하지 않은 생활(아타락시아)을 의미한다.

지만 이런 공포는 잘 생각해보면 아무런 근거도 없다는 것이 그의 주장이야. 신은 영원히 평화롭고 행복하게 사는 존재야. 그런데 사람들은 신이 악한 사람을 불행하게 만든다고 생각해서 괴로워하지. 하지만 이것은 잘못된 생각이야. 어떻게 평화롭고 행복한 신이 불행을 내릴 수 있겠어? 죽음에 대한 공포도 마찬가지로 아무런 근거가 없어. 살아 있는 한 죽음은 없는 것이고, 죽음이 오면 우리는 살아 있지 않기 때문이지. 삶과 죽음은 결코 함께 있을 수 없어. 따라서 우리가 살아 있다면 죽음은 없기 때문에 두려워할 이유가 없고, 죽어 있다면 감각이 없으므로 역시 죽음을 두려워할 이유가 없지.

스토아학파와 에피쿠로스학파는 전혀 다른 윤리관을 갖고 있지만 그럼에도 불구하고 이들 학파가 생각한 이상적인 삶은 놀랍도록 서로 닮아 있어. 스토아학파는 감정(쾌락과 고통 모두)을 억제해야 하는 것이라 생각했고, 에피쿠로스학파는 쾌락을 최고의 선으로 추구했지만 이 두 학파가 최고의 경지로 생각한 것은 모두 **평화롭고 고요한 경지**였어. 길은 달랐지만 도착한 곳은 같았지.

제5장 진리를 발견하기 위한 방법의 규칙을 정하다

안녕, 친구들~! 논리학 수업은 잘 들었니?

내가 나름대로 쉽게 설명한다고 했는데… 다들 어려워 하는 거 같아.

아냐, 잘했어.

정말?

응… 응.

한꺼번에 모든 걸 이해하려고 애쓸 필요는 없어. 되풀이해서 읽다보면 이해할 수 있을 거야.

잘했다더니….

그럼 다시 시작할까?

아까 네 가지 규칙을 발견했다는 데까지 이야기했어.

이제 넌 그만 들어가.

그럼 잠시 난 사라질게.

수고했어~

첫 번째 규칙
명백하게 참이라 알지 못한것은 어떤것도 절대 참이라고 받아 들이지 마라!

참!
참!
참!

그러면 선입관을 갖는 것은 이 규칙을 지킨 걸까?

선입관이란 말은 어떤 일을 직접 경험하거나 합리적으로 따져 보기도 전에 미리 정해버린 생각을 뜻하는 말이야.

명백하게 참인지 알지도 못하면서 무턱대고 받아들였으니까 당연히 첫 번째 규칙을 어긴 거지.

이런 선입관들로 지식을 쌓는다면 당연히 그 지식은 참된 지식이 될 수 없을 거야.

혹시 질문 없어?

무슨 질문?

'명백하게 참인 것' 이 도대체 어떤 건지 궁금하지 않아?

명백하게 참인 것은 명백하게 참인 것이지 무슨 설명이 더 필요한데?

……

그렇지 않아. 정확한 지식을 갖기 위해 가장 필요한 것은

말의 뜻을 정확하게 이해하는 거야.

뭐가 그리 어려워?

하하~ 어렵지 않아. '명백하게 참인 것'은 '명석 판명하게 내 정신에 나타난 아무런 의심도 할 수 없는 것' 이란 뜻이야.

'명석 판명하다' 는 건 또 무슨 말인데?

'명석'은 정신 속에 분명하게 나타난다는 뜻이고, '판명'은 다른 모든 것들과 분명하게 구별된다는 뜻이지.

말의 뜻에 대해 정확하게 이해하는 건 정말 중요하구나….

그렇지.

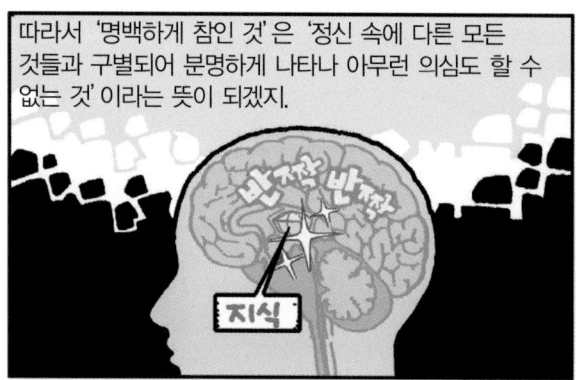

따라서 '명백하게 참인 것'은 '정신 속에 다른 모든 것들과 구별되어 분명하게 나타나 아무런 의심도 할 수 없는 것'이라는 뜻이 되겠지.

지식

그럼 명백하게 참인 것은 공부를 아주 많이 한 선생님이나 박사 같은 사람들만 알 수 있는 거 아냐?

그렇지 않아. 명백하게 참인 것은 어린이나 어른, 공부를 많이 한 사람이나 적게 한 사람을 가리지 않고 이성을 가진 모든 사람에게 명백하게 참이야.

이것은 참외다~.

왜 저래?

누가 몰라?

꼭 배워야 아나~.

예를 들어보자.

＊ 삼각형은 세 개의 직선으로 둘러싸인 도형이다.

＊ 서로 같은 것들에다 서로 같은 것들을 더하면, 그결과도 서로 같다.

위 문장들이 명백하게 참이라는 걸 모르는 사람은 없을 거야.

삼각형이 세 개의 변을 갖는다는 사실은 정신 속에서 다른 모든 것들과 구별되어 분명하게 나타나기 때문이지.

두 번째 문장도 마찬가지야. 서로 같은 것들에다 서로 같은 것들을 더했는데 그 결과가 다르게 나온다는 것은 상상할 수도 없잖아.

여기 있는 똑같은 물이 든 두 물통에 똑같은 색깔의 물감을 넣었을 때 물 색깔은 어떻게 될까?

같지. 내가 바보인 줄 알아?

그렇다면 명백한 참이라는 건 이성을 가진 사람이라면 누구나 다 알 수 있는 거니까 너무 간단한 진리인 거 아냐?

그래, 맞아. 하지만 모든 지식은 가장 단순하고 분명한 것에서부터 시작되는 거야.

하나마나한 말처럼 보이는 저 문장들은 사실 기하학의 기초가 되는 정의와 공리들 중 하나야.

헉~ 저 쉬운 문장이 그렇게 어려운 학문의 기초라고?

기하학은 이렇게 단순하고 쉬운 진리에서부터 복잡하고 어려운 증명을 이끌어 낸단다.

증 명

....

아~ 기하학은 이름만 어렵지 사실은 간단하고 쉬운 거구나.

그렇다고 기하학을 쉽게 생각해선 안 돼!

내가 3장에서 수학이 확실하고 분명하기 때문에 좋아했다고 했던 말 기억하니?

응, 기억해.

나는 수학처럼 분명한 학문이 기껏해야 기계나 만드는 데 이용되는 걸 안타까워했었지.

기계가 뭐 어때서?

그리고 수학의 방법을 이용해 철학을 결코 무너지지 않는 단단한 기초 위에 세우겠다고 말했었고.

철학

수학

지금 내가 하고 있는 일, 즉 방법의 규칙을 정하는 일이 바로 그 일이야.

그렇군!!

첫 번째 규칙은 바로 기하학의 정의나 공리처럼 명백하게 참인 진리를 얻어 내는 방법을 말하고 있는 거야.

나는 첫 번째 규칙을 이용해 단순하고 쉬운 진리들을 얻은 후 그것을 바탕으로 해서 복잡하고 어려운 증명들을 이끌어 낼 거란다.

어려운 증명

어때? 멋진 계획이지? 하하~.

잘난 척은…

우리는 삼각형이 세 개의 직선으로 둘러싸인 도형이라는 것이 명백한 참이라는 것을 알았어.

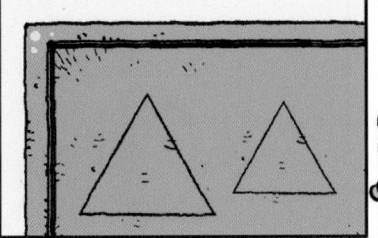

이성이 이렇게 명백한 참을 아는 방법에는 두 가지가 있어.

두 가지?

하나는 직관이고 하나는 연역이야.

직관? 연역? 갈수록 어려운 말만 나오네….

삼각형이 세 개의 직선으로 둘러싸인 도형이라는 것이 명백한 참이라는 것은 '직관'으로 알 수 있었지.

직관은 말 그대로 '(연역을 거치지 않고) 바로 보다'라는 뜻이야.

직관의 범위는 어디까지야?

예를 들어 '2+2=4'라는 것과 '3+1=4'라는 것으로부터 '2+2=3+1'이라는 것을 안다면 이것은 직관으로 아는 걸까?

2+2=4
3+1=4
2+2=3+1

그… 글쎄… 잘 모르겠어….

난 이것도 직관이라고 생각해. 물론 여기에는 연역이 들어가 있지만….

연역이 들어가 있지? 어쩌지…

이성은 이것을 분리된 두 개의 참으로부터 연역했다기 보다는 한 번에 직접 파악했다고 봐야 하기 때문이야.

크흐흑~ 설명을 들을수록 더 헷갈려.

나중에 철학의 제1원리에 대해 설명할 텐데, 그것이 참이라는 것도 직관으로 알았지.

너의 이해력이 떨어지는 것도 '참'으로 봐야겠다….

명백한 참을 아는 다른 방법에는 연역이 있단다.

이해하려고 노력하는 중이라고.

직관이란 말은 무슨 뜻인지 알 것도 같은데 연역은 잘 모르겠다고?

응….

앞 장에서 삼단논법에 대해 배웠지?

그 삼단논법이 바로 연역의 대표적인 예야.

아~ 삼단논법.

내가 논리학에 대해 어떤 생각을 갖고 있는지는 앞 장에서 잘 설명되었으니까 더 이상은 설명하지 않을게.

허거덩~ 그럼 앞 장을 다시 봐야 해?

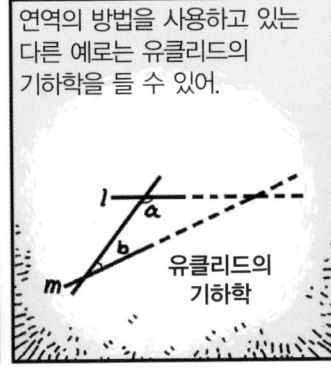

연역의 방법을 사용하고 있는 다른 예로는 유클리드의 기하학을 들 수 있어.

유클리드의 기하학

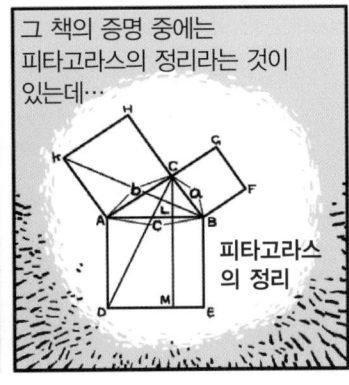

그 책의 증명 중에는 피타고라스의 정리라는 것이 있는데…

피타고라스 의 정리

이 정리는 명백하게 참이긴 하지만 그것이 참이라는 걸 한눈에 직관할 수는 없지.

명백하게 참인 것이 확실해?

피타고라스의 정리.

그럼에도 불구하고 피타고라스의 정리가 명백한 참이라는 것을 확신할 수 있는 이유는 바로 그것이 연역의 결과이기 때문이야.

연역이 삼단논법 이라고 좀 전에 말했지?

그런데… 너희들 피타고라스의 정리가 뭔지 알아? 설명해 줄까?

아니~ 하지 마!

난 절대 숫자나 공식은 하나도 사용하지 않고 오직 도형으로만 피타고라스의 정리를 증명할 수 있는데?

…정말 쉬울 거 같지 않아?

전혀 쉬울 거 같지 않아!

저런….

알았어. 원하지 않으니 지금은 설명하지 않을게.

대신 이 장의 맨 끝에 따로 설명해 놓을 테니까 궁금한 사람은 읽어 봐.

피타고라스의 정리는 한 눈에 알 수 있는 여러 개의 명백한 참들을 순서대로 연역해서 이끌어낸 결론이야.

삼단논법은 모르는 것을 새로 알게 해 주는 것이 아니라 이미 알고 있는 것을 다시 말해주는 것일 뿐이야.

이미 알고 있는 걸 다시 말해주는 건 의미가 없어.

하지만 기하학은 이미 알고 있는 것에서부터 연역을 통해 전혀 새로운 것을 알게 해줘.

그래서 나는 기하학의 이런 점을 응용하고 싶은 거야.

내가 찾는 것이 바로 새로운 진리니까!

그래서…? 말하려는 요지가 뭔데.

아~ 내가 자꾸 옆길로 새고 있구나~ 미안.

두 번째 규칙 어려운 문제는 가장 잘 풀기 위해 필요한 만큼 작은 부분들로 나누어라

다시 규칙으로 돌아가자.

두 번째, 세 번째, 네 번째 규칙은 주로 연역의 방법과 관련이 있어.

엄청 간단한 규칙이네~.

가장 중요한 규칙들은 가장 간단한 경우가 많단다.

그럼 이 규칙이 가장 중요한 거야?

모든 규칙이 모두 간단하고 중요해.

피타고라스의 정리를 증명하려고 시도해 본다면 이 규칙이 얼마나 중요한지 잘 알 수 있을 거야.

여러 번의 연역이 필요한 복잡한 문제를 풀기 위해서는 우선 그것을 쉽게 알 수 있는 작은 부분들로 나누어야만 해.

이렇게 얽힌 걸 한번에 풀기는 어려워.

왜냐하면 복잡한 증명을 한 번에 직관하는 것은 거의 불가능하기 때문이지.

우리 머리는 컴퓨터가 아니잖아?

자, 그럼 피타고라스의 정리를 증명하기 위해서 잘라야 할 부분을 볼까?

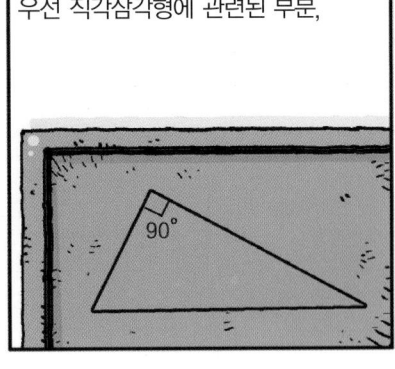

우선 직각삼각형에 관련된 부분,

90°

정사각형에 관련된 부분…

평행사변형에 관련된 부분들로 잘게 분해를 할 필요가 있어.

각각의 부분은 더 쉽게 알 수 있도록 더 작은 부분으로 나누어지지.

작게!

더 작게~

언제까지 계속 나누어야 해?

직관으로 알 수 있는 아주 작은 부분에 도달할 때까지야.

피타고라스의 정리를 이렇게 작은 부분들로 분해했다면 증명은 거의 성공한 거나 마찬가지야.

이제 그것들로부터 정리를 이끌어 내기만 하면 되는 거야.

하지만 어떻게 이끌어 내지? 마구잡이로 작은 부분들을 뒤섞어 놓는다면 증명되기는커녕 더 헝클어질 거 같은데?

그래서 여기 세 번째 규칙이 등장 하게 되는 거야.

이봐 줄 서들!!

세 번째 규칙

가장 단순하고 쉽게 이해 할수 있는 것에서부터 잠재적으로 가장 복잡한 것의 순서로 생각을 이끌어 나가라. 순서가 없는 것에 순서를 만들어

이 규칙도 두 번째 규칙처럼 너무 간단한 거 아냐? 별거 아닌 거 같은데?

절대 그렇지 않아!

가령… 10층에 사는 친구를 만나려면 어떻게 해야 하지?

엘리베이터를 타지. 아니면 전화해서 내려오라고 하든가.

그런 대답을 원하는 게 아니야….

게다가 그 시대에 엘리베이터나 전화가 어딨어!!

10층에 사는 친구를 만나려면 1층, 2층, 3층을 계속해서 순서대로 올라가야지 단번에 10층으로 뛰어오를 수는 없어.

아… 그런 질문 이었어? 난 또… 하하.

단순한 것에서부터 복잡한 것으로 순서를 지켜 나아가야지, 단숨에 복잡한 것으로 건너뛸 수는 없는 거야.

그럴 만큼 똑똑한 사람은 아무도 없어.

이해하기 쉽게 간단한 예를 하나 들어줘.

그래 좋아. 여기 3과 6이라는 수가 있어.

....

이 두 수는 어떤 비율 관계가 있을까?

쉽게 해 달라니까… 쩝.

$3 \times 2 = 6$.
6은 3의 두 배지.

응!

똑같은 비율을 적용하면 6 다음에는 어떤 수가 와야 할까?

12!

맞았어.

이런 관계는 단순하고 쉬워서 직관적으로 알 수 있어.

기껏 맞혔더니….

하지만 처음에 3과 12라는 수를 주고

그 등비중항*을 구해보라고 했다면 어떨까?

등갈비…?

이 문제는 3과 6의 관계로부터 12를 연역해 내는 것보다 훨씬 복잡해서 직관으로는 답을 알기가 매우 어려워.

쉬운 문제 낼 때가 좋았지?

*등비중항 – 똑같은 비율로 늘어서 있는 세 수 중 가운데 수

그래서 등비중항을 구하는 복잡한 계산을 하기 위해서는 먼저 보다 쉬운 등비수열*부터 이해할 필요가 있는 거야.

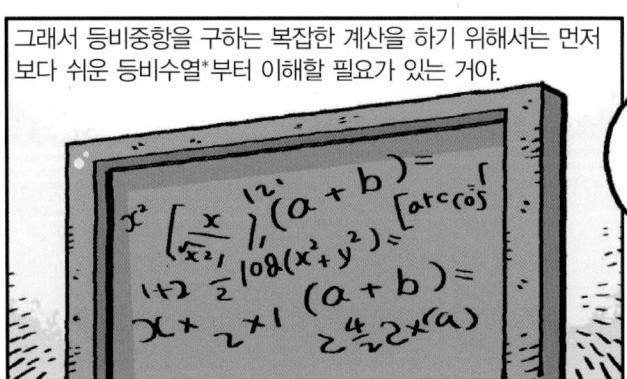

3과 12의 등비중항은 수 대신 문자를 사용하는 대수방정식으로 쉽게 구할 수 있어.

*등비수열 – 똑같은 비율로 늘어선 수의 열

알고자 하는 수를 x라고 하고…

잘 보라고.

x와 3의 비가 12와 x의 비와 같다는 방정식을 만들고

그것을 풀면 답이 나와.

이런 식을 세우기 위해서는 당연히 등비수열에서는 수가 같은 비율로 늘어선다는 쉬운 사실을 먼저 알아야 하겠지?

정신 차려!!

저기… 이쯤에서 "여기서 잠깐!" 하고 나타날 사람이 있을 것 같은데?

그러게~.

얼른 설명해 주고 가라고~! 옷도 입고!!

내 차례인가?

수식을 저런 식으로 표기하는 방법을 확립한 사람이 바로 데카르트야.

……

예를 들어, 중학교에 가면 '$ax^2 + bx + c = 0$'과 같은 2차 방정식을 지겹도록 보게 될 거야.

이 식에는 숫자가 하나도 나오지 않아.

원래 숫자가 들어가야 할 자리에 대신 알파벳을 집어 넣어 수식을 일반화해 버린 거야.

a, b, c 는 이미 알고 있는 수를, x. y 는 아직 모르는 수를 일반화한 거지~.

데카르트가 이 문자들을 처음으로 사용하기 시작했어.

왜 그랬어요~

하하~ 잘 들다보면 오히려 고마워하게 될걸!

데카르트 이전에도 숫자를 문자로 일반화해서 사용하기도 했지만…

그러니까 '최초' 는 아니었군.

이렇게 기지수에 a, b, c…를, 미지수에 x, y, z…를 규칙적으로 사용하기 시작한 건 데카르트가 처음이야.

알아보기 쉽게 정리한 거야.

제곱을 위에서처럼 숫자나 문자의 어깨 위에 표시한 것도 역시 데카르트가 처음이고

데카르트 이전에는 '2' 을 '2의 제곱' 이라고 말로 직접 표시했거든.

아주 번거로웠지.

뭐라고! 이런 표기방식을 개발한 것이 무슨 큰 업적이냐고?

님, 개념 좀…

그렇지 않아! 이런 표기 방식을 확립함으로써 수학은 한층 더 발전할 수 있었던 거야.

그럼, 그럼~.

더 강하게 말하자면, 만약 이런 표기 방식을 개발할 수 없었다면 수학은 결코 오늘날처럼 발전할 수 없었을 거야.

하하

알아줘서 고마워.

다들 잘 알았지? 그럼 다시 본론으로 돌아가자. 난 이만 돌아갈게!

그럼, 이제 내 차례군!

너 수고 했어

그러면 순서가 없는 것에는 순서를 만들라는 말은 왜 필요할까?

순서가 없는데 어떻게 순서를 정하라는 말이야?

예를 들어 돌멩이가 10개 있다고 하자.

우린 번호가 매겨져 있지도 않은데?

하지만 자세히 관찰해 보면 어떤 순서라도 발견할 수 있을 거야.

크기의 순서, 무게의 순서 등등

크기대로 맞춰 서~!!

척 넵! 척

순서가 없는 것에 순서를 만들라는 말은 관찰을 통해 어떤 질서를 찾아내라는 뜻이야.

우리도 알고 보면 다~ 순서가 있었어.

그러게.

하지만 노력했는데도 아무런 순서도 찾을 수 없다면?

우리처럼 진짜 똑같은 것들은…?

그럼 억지로라도 순서를 정해.

억지로?

그것이 아무런 순서도 정하지 않은 것보다는 나을 테니까.

일단 무작위로 번호를 붙이자.

왜냐하면 어떤 일을 할 때 순서를 정하면 적어도 같은 일을 두 번 반복할 염려는 없잖아.

내가 마당을 쓸었나? 거실을 닦고…

그 다음에 뭘 했었지?

그러면 당연히 쓸데없는 수고도 덜 수 있겠지?

순서를 정해 놓지 않으니 이미 청소한 거실을 두 번이나 닦았어.

자, 이제 마지막 네 번째 규칙을 알아보자.

네 번째 규칙. 아무것도 빼놓지 않고 완전하게 열거했는지 전체적으로 검사하라.

혹시 목걸이 있니?

아… 여기….

그걸 자세히 보면 작은 고리들이 서로 연결되어 있다는 걸 알 수 있을 거야.

그 중에 한 고리가 없다면 어떻게 될까?

목걸이가 끊어져 버리지.

맞았어. 네 번째 규칙은 바로 그것과 마찬가지야.

명백하게 참인 것들이 연결되어 있다고 해도 중간에 하나가 빠져 있다면 그 연역은 완전할 수 없어.

헉! 기차 한 칸이 빠지고 없어. 저래서야 기차라고 할 수 없잖아.

그래서 빼놓은 것들이 없는지 전체적으로 검사할 필요가 있는 거야.

네~ 엄마~.

다들 잘 따라오고 있니?

꽥꽥-

음 그렇군….

한마디 덧붙이고 싶은 말은….

두 번째, 세 번째, 네 번째 규칙은 서로 분리된 규칙이 아냐.

설명을 쉽게 하기 위해 나누어 놓았을 뿐이지.

실제로 연역하는 과정에서는 이 세 규칙이 모두 사용돼.

우린 셋이 뭉쳐야 완전해진답니다.

두번째 세번째 네번째

규칙이 네 가지 밖에 없는데… 그나마 3개는 분리된 것도 아니라고?

뭔가 굉장히 의심하는 표정이네?

의심한다기보다는… 그 방법이 얼마나 효과가 있을지 궁금한 거야.

난 이 규칙들을 적용해 기하학과 대수의 많은 문제들을 풀 수 있었어.

오~ 풀렸어~.

이것도~

저것도~

다 풀리고 있어.

단순한 진리에서 시작해서 좀 더 복잡한 진리를 발견하고, 또 그것을 바탕으로 해서 다른 진리를 발견해 냈지.

다음 단계! 다음 단계!!

이 방법을 사용해 아주 어려운 문제들을 풀었을 뿐만 아니라

만세! 다 풀었다~.

아직 모르는 문제들도 언젠가는 풀 수 있겠다는 생각이 들었어.

다 덤벼!

뭐든 풀어주마!

방법을 사용하면 할수록 문제를 점점 분명하게 파악할 수 있게 되었지.

나를 이길 자 그 누구냐!

그렇다면 지금 세계에서 일어나는 일들을 한 번 살펴볼까?

저기… 좀 진정하지?

내가… 너무 내 자랑을 했나?

좀… 지나쳤지?

미안~ 누구나 자랑하고 싶을 때가 있는 법이잖아? 이해해 줘.

이제 나는 이 방법을 철학에 적용해 보기로 했어.

내가 입버릇처럼 말해 왔듯이 말이야.

기하학과 대수에 적용해서 매우 만족스러운 결과를 얻었기 때문에

철학에서도 분명 좋은 결과를 얻을 수 있을 거라고 생각했기 때문이야.

철학도 실망시키지 않을 거야.

하지만 내가 이런 생각들을 할 때는 한창 모험과 여행을 즐기던 젊은 시절이었어.

나는 23살이었고, 철학과 같은 중요한 학문을 하기에는 너무 어렸지.

생각의 깊이가 아직 모자라.

난 좀 더 세상을 돌아다녀 견문을 넓히고 잘못된 생각을 없앨 필요가 있다고 생각했어.

이 방법을 더 연습해서 보다 확실하게 익혀둘 필요도 있었고 말이야.

데카르트가 그 생각을 잘 다듬어서 책으로 옮긴 때는 32살이었던 1628년이었지.

그 책이 바로 《정신지도를 위한 규칙들》이고 이 책의 내용을 이해하기 쉽도록 적은 책이 바로 《방법서설》(1637)의 제 2부야.

다음 장에서는 이성이 넘어지지 않도록 도와 줄 도덕 규칙들에 대해 이야기해 볼까 해.

방법을 철학에 적용하는 일은 그 다음 장에서 시작할 거야.

내가 등장할 차례군.

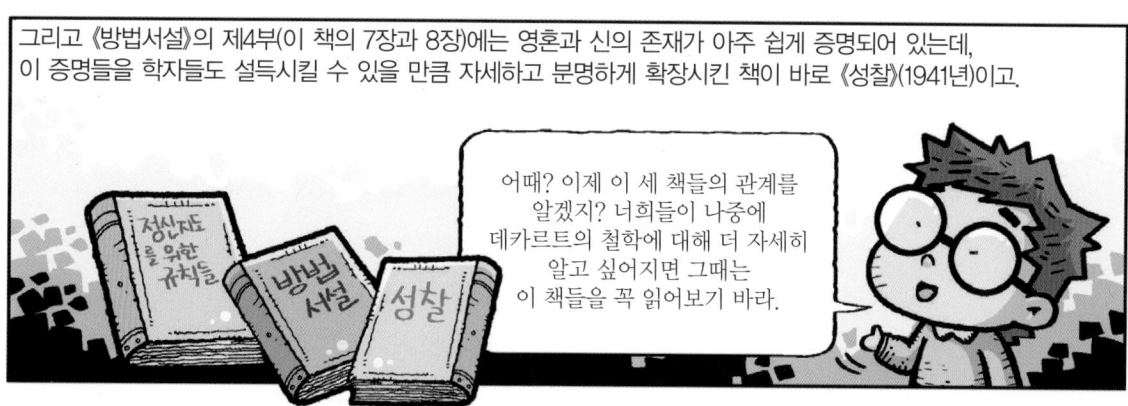

그리고 《방법서설》의 제4부(이 책의 7장과 8장)에는 영혼과 신의 존재가 아주 쉽게 증명되어 있는데, 이 증명들을 학자들도 설득시킬 수 있을 만큼 자세하고 분명하게 확장시킨 책이 바로 《성찰》(1941년)이고.

어때? 이제 이 세 책들의 관계를 알겠지? 너희들이 나중에 데카르트의 철학에 대해 더 자세히 알고 싶어지면 그때는 이 책들을 꼭 읽어보기 바라.

피타고라스의 정리

피타고라스의 정리 : 직각삼각형에서 직각과 마주보는 변을 한 변으로 갖는 정사각형의 넓이는 직각삼각형의 나머지 두 변을 각각 한 변으로 갖는 정사각형들의 넓이를 더한 것과 같다.

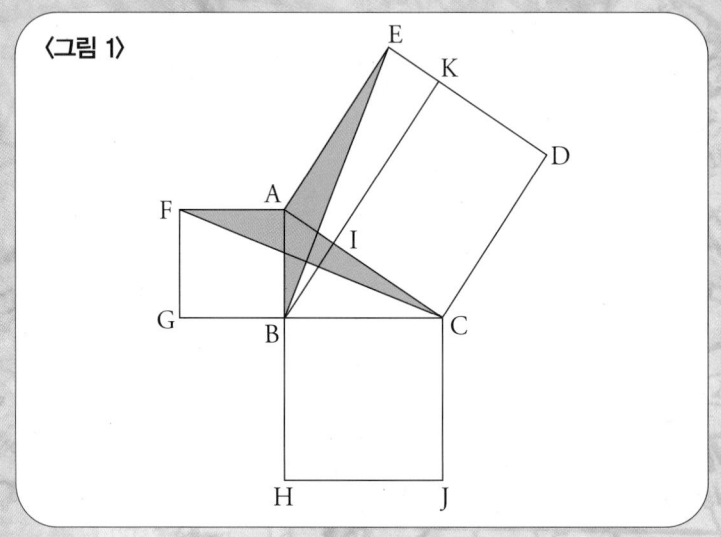

〈그림 1〉

〈**그림 1**〉에서 정사각형 EACD의 넓이는 정사각형 AFGB와 정사각형 BHJC의 넓이를 합한 것과 같다는 것이 피타고라스의 정리야. 피타고라스의 정리는 정의와 공리들, 그리고 다른 정리들로부터 연역되었어. 지금부터 그 연역과정을 볼 거야. 우선 데카르트의 세 번째 규칙에 따라 가장 단순하고 쉽게 이해할 수 있는 것들부터 살펴보기로 할까?

공리 2. 같은 것들에다 같은 것들을 더하면 그 결과도 같다.

너무 쉽지? 예를 들면, 90+10 = 90+10, 따라서 100=100. 이제 다음의 정리를 보자.

정리 4. 두 개의 삼각형은 두 변의 길이가 각각 같고 그 두 변이 만드는 각의 크기가 같으면 서로 같다.

이것은 두 개의 삼각형이 합동이 되는 조건을 알려주는 정리야. 이 정리를 증명하는 것은 그렇게 어렵지 않으니까 한번 스스로 해보도록 해.

정리 37. 공통의 밑변을 갖고서 같은 평행선에 놓여 있는 삼각형들의 넓이는 같다.

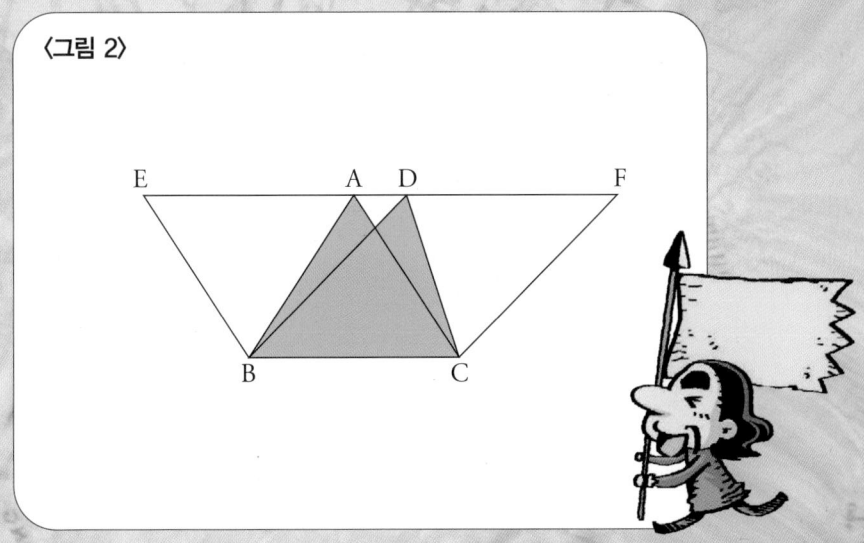

〈그림 2〉

증명 : 직선 AD를 양쪽으로 늘인 다음 평행사변형 AEBC와 DBCF를 만들어라. 평행사변형 AEBC와 BDCF는 밑변과 높이가 같으므로 넓이가 같다. 삼각형 ABC와 DBC의 넓이는 각각 평행사변형 AEBC와 DBCF의 절반이므로 삼각형 ABC와 DBC의 넓이는 같다.

정리 41. 같은 밑변을 갖고 같은 평행선들에 놓여 있는 평행사변형과 삼각형이 있을 때, 평행사변형의 넓이는 삼각형의 넓이의 두 배이다.

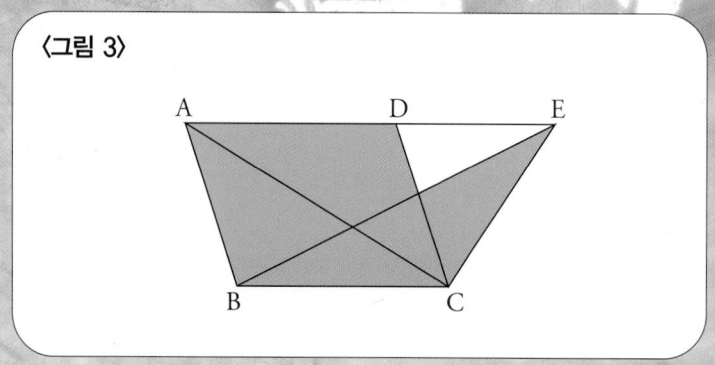

〈그림 3〉

증명 : 직선 AC를 그어라. 삼각형 ABC와 삼각형 EBC의 넓이는 같다.(→정리 37.) 평행사변형 ABCD의 넓이는 삼각형 ABC의 넓이의 두 배이다. 따라서 평행사변형 ABCD의 넓이는 삼각형 EBC의 넓이의 두 배이다.

이들 공리와 정리를 이해했다면 이제 준비는 다 된 거야. 물론 위 3개의 정리들을 연역할 때도 보다 단순한 다른 정의, 공리, 정리가 사용됐어. 그것까지 전부 설명하면 너무 길어지니까 생략했을 뿐이지. 이제 다시 처음의 〈**그림 1**〉로 돌아가서 점차 복잡한 것으로 생각을 이끌어가 볼까?

1. 각 EAB와 각 FAC는 공리 2에 의해 서로 같아. 각 EAC는 직각, 각 FAB도

   직각이고 거기에 같은 각 BAC를 더했으니까.

2. 삼각형 EAB와 삼각형 FAC는 정리 4에 의해 서로 같아.

3. 평행사변형 AIKE의 넓이는 정리 41에 의해서 삼각형 EAB의 넓이의 두 배야.

   (직사각형 AIKE도 마주보는 두 쌍의 변의 길이가 각각 같기 때문에

   평행사변형이야. 그래서 정리 41이 적용될 수 있지.)

   또, 평행사변형 AFGB의 넓이도 정리 41에 의해서 삼각형 FAC의 넓이의 두 배야.

   (정사각형 AFGB도 마주보는 두 쌍의 변의 길이가 각각 같기 때문에

   평행사변형이야. 그래서 정리 41이 적용될 수 있어.)

4. 삼각형 EAB와 삼각형 FAC의 넓이가 같기 때문에 각각 그 두 배인

   직사각형 AIKE의 넓이와 정사각형 AFGB의 넓이는 같아.

〈그림 4〉에서처럼 직사각형 KICD의 넓이와 정사각형 BHJC의 넓이가 같다는 것도 마찬가지의 방법으로 보일 수 있어. 따라서 〈그림 5〉처럼 정사각형 EACD의 넓이는 정사각형 AFGB의 넓이와 정사각형 BHJC의 넓이를 더한 것과 같다고 연역할 수 있지.

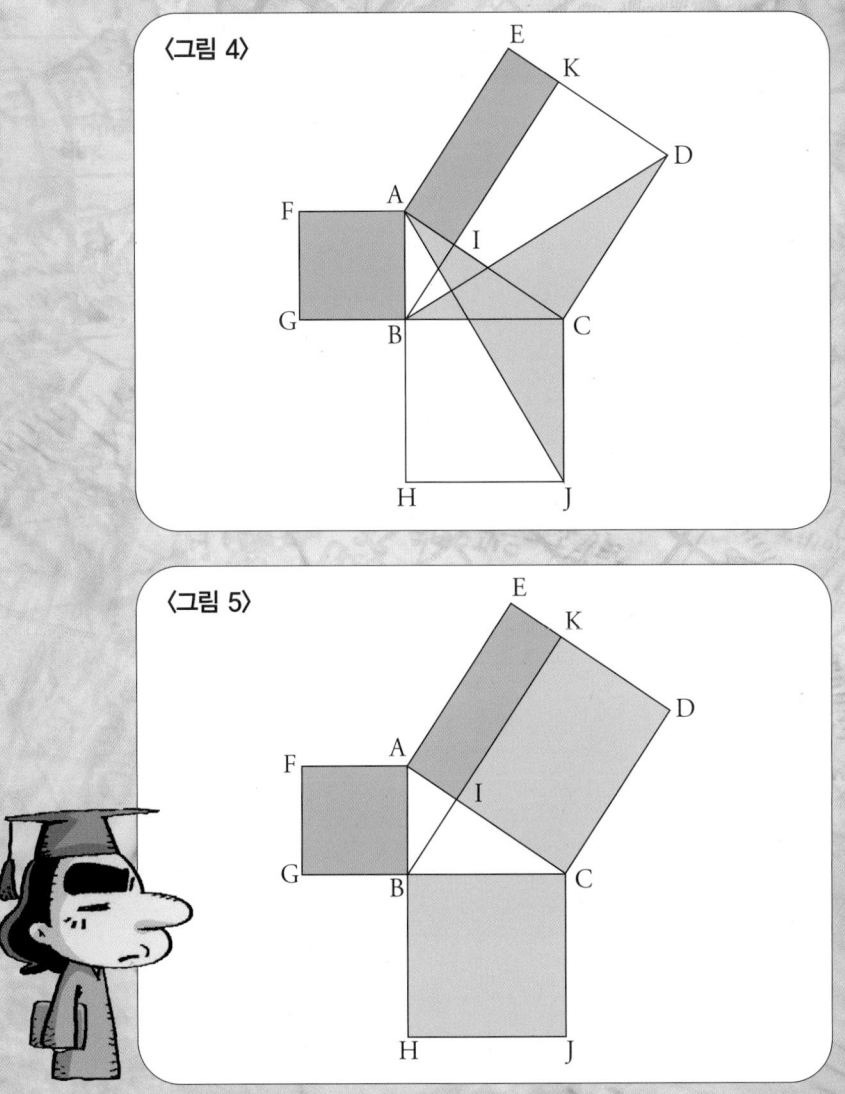

우리는 이처럼 단순하고 쉬운 것에서부터 점차 복잡하고 어려운 것의 순서로 연역함으로써 피타고라스의 정리라는 명백한 참을 얻을 수 있어. 이 과정에는 문제를 작은 부분으로 나누는 일과 빼놓은 부분이 없는지 전체적으로 검사하는 일도 포함되어 있으므로 결국 데카르트의 방법의 두 번째, 세 번째, 네 번째 규칙을 모두 사용한 셈이지.

제6장 이성을 도와줄 도덕 격률들

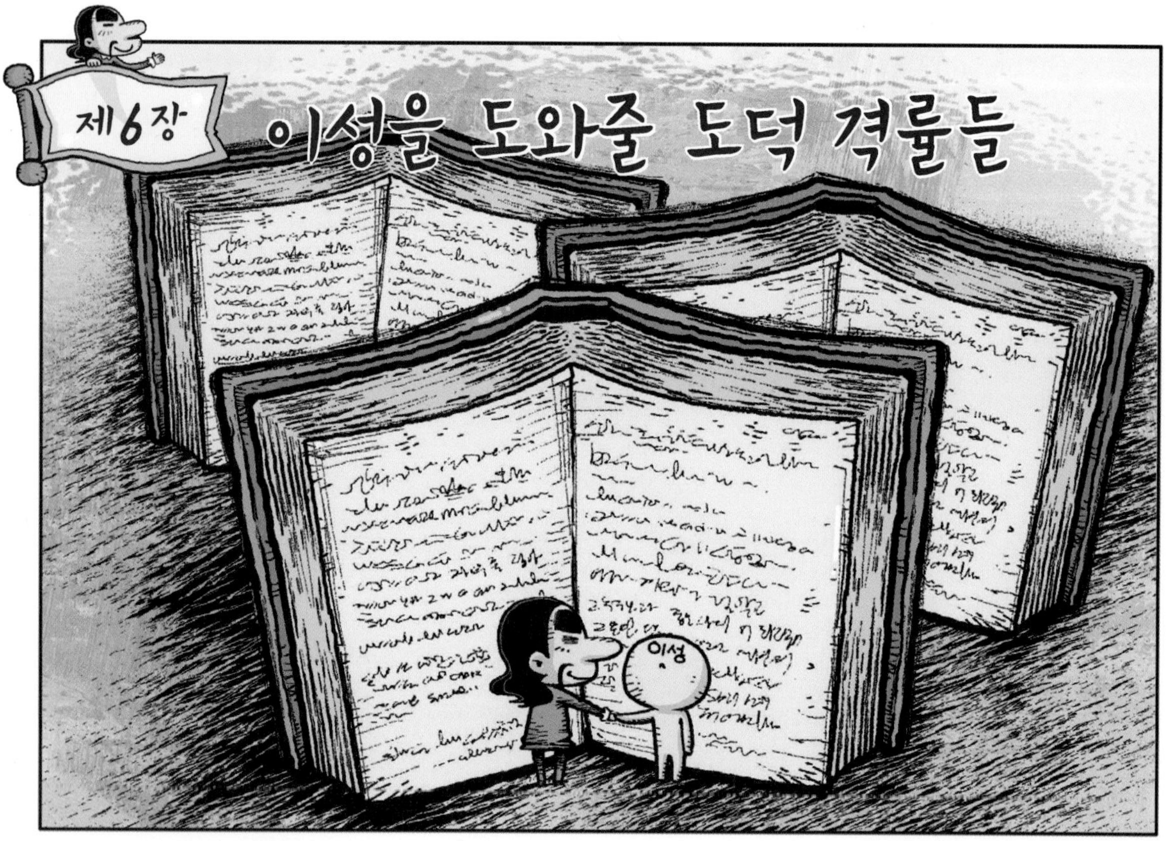

어떤 낚시꾼이 멀리 여행을 가기로 했어.

낚싯대도 챙겼고 가서 먹을 음식도 이만하면 되겠지?

집을 나선 낚시꾼은 얼마를 가다 가방이 꽤 무겁다고 느꼈단다.

어떡하지?

에이~ 도중에 배가 고프면 낚싯대로 고기를 잡아먹으면 될 테니까 이 음식은 없어도 되겠지 뭐!

왜 가도 가도 강은 커녕 호수도 보이지 않는 거야?

참 어리석은 낚시꾼이지.

배고파~ 추워~

나는 다시 여행을 떠나기로 결심했단다.

다시 여행을 떠나 볼까?

가방 안에는 '방법의 규칙' 들과 내가 배웠던 학문이나 풍습 같은 것이 들어 있지.

내가 여행을 하는 목적은….

견문을 넓히고 이전에 가졌던 잘못된 생각들을 버리려 하는 것이지.

저도 견문을 넓히려고 여행을 해요.

따라서 확실한 기초도 없는 학문이나 풍습을 굳이 가지고 다닐 이유가 없지.

과감하게 버릴건 버리고—

그렇다고 내가 낚시꾼처럼 다 내버렸을까?

천만에!

난 나중에 고기를 잡아 먹더라도 오늘 저녁에 먹을 음식을 남겨 놔야 한다는 것쯤은 알고 있지.

내 애거!

낚시꾼처럼 강이나 호수가 나타나지 않더라도 당황하지 않게 말이야.

난 낚시꾼과는 다르거든.

쳇, 잘난 척은….

내가 여행 가방 안에 남겨둔 격률은 세 가지야.

격률? 그게 뭔데?

들어봐.

격률(格率)은 행위의 근거가 되는 원칙이란 뜻이야. 예를 들면

누가 이 컵을 깨뜨렸지?

제가 그랬어요.

난 거짓말을 하지 않는다는 원칙을 갖고 있어.

바보! 아무도 모르는데 왜 솔직하게 말한 거야?

이때 철수가 갖고 있는 거짓말을 하지 않는다는 원칙을 바로 격률이라고 해.

잘났다.

말만 어려울 뿐 내용은 정말 쉽지?

첫 번째 격률

내 나라의 법과 관습을 지키고, 어렸을 적부터 나를 가르쳐온 종교를 버리지 않으며, 그 밖의 다른 일에서는 가장 현명한 사람들이 갖는 가장 온건하고 덜 극단적인 의견을 따를 것.

이 창은 어떠한 방패도 뚫는다오!

이 방패는 어떠한 창도 막아낸다오!

창과 방패를 시험해 보지 않고는 어떤 것도 살 수 없소!

오, 일리 있군요.

이런 규칙을 갖고 있는 내가… 만약에 어쩔 수 없이 말이야.

서두가 길어요.

누군가의 의견을 따라야 한다면 어떤 사람의 의견을 따라야 하겠니?

혀… 현명한 사람?

그렇지!

그렇담 현명한 사람은 어떻게 알 수 있어?

현명한 사람의 의견을 따라야 하겠지?

현명한 사람이란 바로 나처럼 진리를 추구하는 사람을 말하지.

그 표정은 뭐야?

음!?

이런 사람의 의견을 따르면 그렇지 않은 사람의 의견을 따를 때보다 진리에 더 가까이 다가갈 수 있을 거야.

속고만 사셨나? 아무튼 튼튼해요!

물론 시험해 봤죠! 재료 또한 국내에서 가장 튼튼한 쇠로 만들었답니다.

음… 상인2가 더 신뢰가 가는 걸?

나도….

그런데 누군가의 의견을 따를 때는 항상 조심해야 할 것이 있어.

저기… 이 다리로 건너도 괜찮을까요?

괜찮고 말고요, 한꺼번에 열 명이 건너도 아무 문제 없어요.

그러면 댁이 먼저 건너 보실래요? 제가 너무 무서워서….

뭐… 그러죠.

그래, 보다 안전하려면 다른 사람이 무사히 건너는 모습을 확인하는 게 좋겠지.

뭐야… 내 말을 못 믿겠다는 거야?

기분 나쁠 것 없어.

요즘엔 도덕이 타락해서 아무 이유도 없이 남을 곤경에 빠뜨리는 경우가 많기 때문이야.

수천 년 전의 고대 바빌론 문자를 고생고생해서 겨우 해석해 봤더니…

엥? 이게 뭐야!

"요즘 젊은 것들은 너무 버릇이 없다."는 거였어.

내가 늘상 하는 말인데?

우리가 사는 시대에 하는 말들을 예전에도 했다는 걸 보면, 데카르트도 자기 시대의 사람들이 그다지 정직하지 않았다고 생각한 것 같아.

아무리 오랜 시간이 지나도 사람들의 행동이나 생각들은 여전히 비슷한가 봐.

그렇다고 봐야지. 자, 다시 앞의 내용으로 돌아가서.

내가 온건한 의견을 따르기로 한 것은 온건한 의견이 극단적인 의견보다 따르기 쉽고

온건한 의견

틀렸다 해도 나중에 고치기도 쉽기 때문이지.

어… 아니 라네요….

극단적인 의견을 따랐는데 이것이 잘못된 의견이었다는 걸 알게 되면

아주 멀고 힘든 길을 되돌아가야 하니까 말이야.

아이고, 언제 되돌아가나?

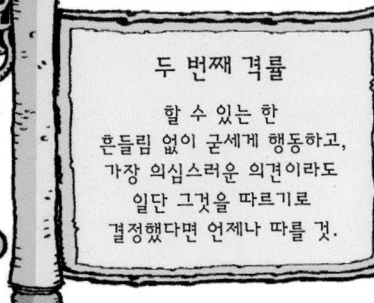

두 번째 격률

할 수 있는 한 흔들림 없이 굳세게 행동하고, 가장 의심스러운 의견이라도 일단 그것을 따르기로 결정했다면 언제나 따를 것.

여기가 대체 어디야?

안 되겠어, 여기로 갔다 저기로 갔다 하지 말고 한 길로만 쭉 나가보자.

그러다 엉뚱한 곳이 나오면?

그렇더라도 이렇게 우왕좌왕 하고 있으면 이 숲 속에서 빠져 나갈 수가 없다고.

그래도….

곧 어두워져. 어두워지기 전에 이 숲에서 빨리 벗어나야 해.

음냐

물론 이렇게 가면 원래 가려고 했던 목적지가 아닌, 엉뚱한 곳에 도착할 수도 있어.

동쪽으로 가야 하는데 여긴 남쪽이잖아!

그래도 서쪽이 아닌 게 다행이지.

하지만 짐작이나 추측으로 방향을 이리 저리 바꾸기만 한다면

헉! 여기가 아니야….

아이고… 여기도 아니라니깐.

그 숲 속에서 정말 무서운 공포의 밤을 보내야 했을 거야.

물론 영원히 못 나올 수도 있겠지.

그러면 많은 의견들 중에 어떤 것이 참된 것인지 모르는데

의견들

어쩔 수 없이 그중 하나를 택해야만 할 땐 어떻게 해야겠니?

당연히 이것들 중 가장 참일 것 같은 의견을 따라야 하겠지!

짝짝

그렇죠!

그리고 일단 어떤 의견을 선택했다면

순수익의 5%를 불우이웃을 위해 쓰겠습니다.

금년부터

그것을 참된 의견이라고 믿고 그것에 따라 행동해야 한다는 거야.

회장님, 올해는 불우이웃 자금을 연구비로 돌리시죠? 회사가 많이 어려운데….

무슨 소리! 약속은 지켜져야 하는 거야.

어떤 때는 이 의견에 따랐다가 또 다른 때는 저 의견을 따르는 것보다는…

내 얘기 하지 마!

하나의 의견을 계속 따르는 편이 어느 곳에건 도착할 가능성이 훨씬 높기 때문이지.

바로 나처럼.

세 번째 격률

운명이 아닌 자기 자신을
지배하려고 노력하고,
세계의 질서가 아닌
자신의 욕망을 바꾸려고
힘쓸 것.

운명이나 세계의 질서를
내 맘대로 바꿀 수는 없어.

자기가 마음대로 할 수 있는 것은
오직 자신의 생각뿐이야.

비가 오려나 봐….
그만 들어가는 게
좋겠어.

흑… 내가 가족들을 모두
거지로 만들었어.
나 같은 게 살아서 뭐하나?

이봐요! 거기서
뛰어내리면 밑에 돌들이
많아서 무척
아플 텐데….

마… 많이
아플까…?

멈칫

따라서 불가능한 것을 원해
애태우기보다는 생각을 바꾸는
편이 훨씬 나아.

당연히 아프지.
게다가 당신이 죽는다고
무엇이 해결될까?

당신! 죽었다 생각하고
열심히 일해 봐. 그러면
최소한 가족들 굶기진
않을 거 아니야?

아… 그래요,
그렇군요.

흑흑…

생각을 바꾸면 의지도 따라서
바뀌지.

그래! 나 없으면 모두
다 굶어 죽을 거야,
그럴 순 없지!

또 어떤 일을 피할 수 없고 반드시
해야 한다면…

청소는 했니?
엄마 오기 전에
청소 해 놓으라고
했지!

차라리 즐겁게 하는 게 좋아.

뭐야? 네 방이니까
널 시키지, 누굴
시켜?

왜 꼭 나만
시켜요?

좋아, 엄마가
청소하는 대신
이제부터 네 방은
엄마 서재로 사용할
거야.

맘대로
해ᅵᅵᅵ

뒤늦게 후회하고 원망해 봐야
소용없지.

흑흑…

훌쩍

이성을 도와줄 도덕 격률들   113

엄마가 당연한 말씀을 하신 건데 즐겁게 청소했으면 좋았잖아. 몸을 움직이니 살도 빠지고 말이야.

사실 이런 식의 태도와 사고방식을 갖는 것은 그다지 쉬운 일은 아니야.

에이~ 자꾸 웬 비람!

고마운 비가 오니 잠시 쉬어볼까…?

오랜 훈련과 깊은 생각이 필요하지.

하지만 익숙해지면 어떤 일이나 물건에 대한 집착에서 벗어나

물 흐르는 대로 가야지 거스르면 그만큼 힘이 드는 게야.

오히려 더 행복에 가까이 다가갈 수 있는 거야.

어렵다….

운명에 순종함으로써 운명의 지배에서 벗어나게 된 거지.

이상한 말이지? 하지만 곰곰이 생각해 보면 언젠가는 이해할 때가 있을 거야.

난로가 따뜻하게 지펴진 올름의 한 작은 방에서 난 앞으로 무슨 일을 해야 할지 많은 생각을 했어.

……

좋아, 결정했어!

이성을 일깨워 향상시키고…

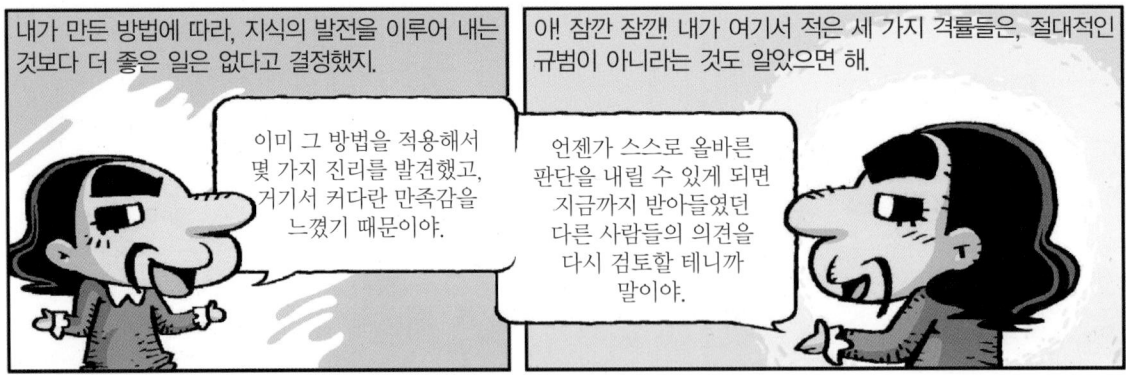

내가 만든 방법에 따라, 지식의 발전을 이루어 내는 것보다 더 좋은 일은 없다고 결정했지.

이미 그 방법을 적용해서 몇 가지 진리를 발견했고, 거기서 커다란 만족감을 느꼈기 때문이야.

아! 잠깐 잠깐! 내가 여기서 적은 세 가지 격률들은, 절대적인 규범이 아니라는 것도 알았으면 해.

언젠가 스스로 올바른 판단을 내릴 수 있게 되면 지금까지 받아들였던 다른 사람들의 의견을 다시 검토할 테니까 말이야.

나는 내 방법을 통해 확실한 진리를 발견할 수 있고…

이런 거였군! 그래… 이게 바로 진리야.

또 그 진리를 통해 참된 도덕을 얻을 수 있을 거라고 생각해.

도덕

왜냐하면 확실한 진리에 의거해 판단을 내리면 도덕적인 행동을 할 수 있기 때문이지.

너희들은 진리를 아는 것과 도덕적인 행동을 하는 것 사이에 어떤 관계가 있을 거라고 생각하니?

진리를 아는 것

도덕적인 행동을 하는 것

데카르트는 아는 것과 행하는 것이 같다고 생각했어.

말하자면 진리를 알기 때문에 도덕적인 행동도 할 수 있는 것이라고 생각하는 거야.

진리를 알면 그로부터 좋은 행위, 즉 선(善)이 무엇인지를 알 수 있고

노인 분들을 공경해야 옳은 거죠?

선이 무엇인지 알면 그것을 행하기를 원하게 된다고 생각했지.

여기 앉으세요, 할아버지.

하지만 우리 주변에선 좋은 행위가 무엇인지는 알아도…

…‥

그것을 행하지 않는 사람들을 종종, 아니 많이 볼 수 있지.

데카르트의 생각이 틀린 걸까?

…‥

이건 너희들 스스로 생각해 보기를 바랄게!!

나는 이렇게 세 개의 격률과 신앙의 진리만을 남겨 놓고 다른 모든 의견들을 버리기로 결심했어.

참, 방법의 규칙들도 있지!

지금 내 여행 가방 안에는 격률 3개, 방법의 규칙 4개, 신앙의 진리가 들어 있어.

격률

방법의 규칙

신앙의 진리

이것들만 가방 안에 챙긴 다음, 그동안 머물던 따뜻한 방을 떠나 다시 세상으로 여행을 떠났어.
1619년부터 네덜란드로 이주하기 전인 1628년까지 이곳저곳 많이 돌아다녔지.

난 말이다, 세상이라는 무대에서 배우가 되기보다는 관객이 되려고 노력했단다.

에? 무슨 말이에요?

세상을 객관적으로 바라보려고 했다는 뜻이란다.

객관적? 그게 뭐야?

그리고 내 정신 속에 들어 있는 오류들도 뿌리 뽑았지.

무슨소리야―흥!

잡초 뽑듯이?

좀…진지하시길…

물론 근거 없는 추측을 통해서가 아니라 분명하고 확실한 추론을 통해서 그런 거야, 방법도 꾸준히 연습했고…

음…. 수학 문제만이 아니라 다른 문제에도 적용시켜 봐야겠어.

하지만 학자들 사이에서 자주 논쟁거리가 되는 문제들을 해결하지도 못하고, 철학의 단단한 기초를 발견하지도 못한 채 9년이란 세월이 흘렀단다!

진리를 찾는 방법을 찾아야 하는데….

아직 철학의 기초도 만들지 못했으니.

뛰어난 많은 사람들이 나보다 먼저 이 계획에 뛰어들었지만

진리를 찾는 방법을 찾는 것은 내가 해 보이겠어!

그럼 철학의 기초는 나에게 맡겨 둬.

학자들이 내 놓은 것마다 성공한 것처럼 보이지는 않았기 때문에…

그렇게 쉽게 찾아지는 일이 아니지….

해냈다 ㅋ!!

쯧쯧…

나는 그것이 참으로 어려운 것이라고 생각할 수밖에 없었지.

이 사람도 저 사람도 다 틀렸어! 이런 게 아냐!

휙

내가 이 계획을 완수했다고 소문이 퍼지고 있다는 것을 몰랐더라면

웅성 웅성

데카르트가 해냈다면서?

역시 그럴 줄 알았어!

꼬장꼬장해 보였는데 굉장하네.

난 이렇게 빨리 이 일을 시작하려고 하지 않았을 거야.

선생님, 선생님! 이것 좀 보셔요.

선생님 정말 대단하세요. 아무도 해결하지 못한 문제를 선생님이 해결해 내시다니!

무슨 소리야?

데카르트 드디어…

이런… 이게 무슨 짓이야?

선생님~ 대단 하세요♥

휙

데카르트!!! 드디어 철학의 진리를 찾는 방법을 찾아 내다!!!

도대체 사람들이 왜 그런 소문을 냈는지 모르겠어.

아니거든!

선생님… 아니에요?

휙

난 내가 모르는 것을 고백한 것밖에 한 일이 없거든.

대체 누가 이런 말도 안 되는 유언비어를 퍼뜨린 겁니까?

웅성 웅성

뭐야? 무슨 일이야…

얘가 입이 좀 가벼워요.

웃기시네.

저 아닌 거 아시죠?

…혹시?

혹시 다른 사람들이 확실하다고 생각한 것이 왜 의심스러운 것인지를 내가 밝혔기 때문에 그런 소문이 퍼진 건가?

그렇담 내 입이 방정인 거네…?

너때문이야! 그게 왜 나때문이야!!

아무튼 말이야.

너 때문이야!

너 때문이지!

콰앙

실제로 하지도 않은 일로 사람들에게 칭찬을 받는 것이 영 불편했기 때문에…

난 그 일을 진짜로 해낼 필요가 있다고 생각했지.

할 수 없군. 이젠 철학의 진리를 찾는 방법을 연구해 보는 수밖에.

어기적 어기적

그러면 적어도 공짜 칭찬을 받은 건 아닌 셈이니까.

아자! 아자! 파이팅!!

1628년에 난, 아는 사람이 없는 곳으로 떠나 본격적으로 그 일에 착수하기로 결심했어.

아무도 없는 곳으로 가서 일에만 몰두해야지.

저벅 저벅

《방법서설》은 1637년에 출판됐지만 실제로 완성된 해는 1636년이야.

그게 벌써 지금으로부터 8년 전 일이군.

훙

지금 내가 있는 이곳은 네덜란드야.

이 나라는 오랜 기간 동안 전쟁을 치러왔기 때문인지 군대의 기강이 아주 잘 잡혀 있군.

네덜란드는 종교개혁 이후 신교를 믿어 왔어.

오… 주여!

주여!

하지만 당시 네덜란드를 다스리고 있던 에스파냐(지금의 스페인)의 왕 펠리페 2세는 로마가톨릭 교도여서 신교도를 박해했지.

신교도! 넌 밥 조금만 먹어!

씨… 밥 먹을 땐 개도 안 건드린다는데….

이에 반항해 네덜란드는 1572년부터 독립 전쟁을 시작했고…

더 이상은 못 참겠다. 우리는 독립을 원한다!

독립 좋아하네!

30년 전쟁을 거쳐 1648년 마침내 베스트팔렌 조약에 의해 독립을 승인받았어.

드디어 우리가 이겼다.

징그러운 놈들….

데카르트가 이주할 즈음인 1628년에도 네덜란드는 여전히 전쟁 중이었지.

전쟁하는 나라 맞아? 사회가 혼란스럽지도 않고 질서가 잘 잡혀 있는 것 같아.

그런데 사람들은 오히려 안전과 평화를 누리고 있지.

산책 나오셨네요, 데카르트 님.

여기 사람들은 쓸데없이 남의 일에 호기심을 보이기보다는 자신의 일에 더 열중하지.

덕분에 난 아무의 방해도 받지 않고 연구에 몰두할 수 있었어.

세상에 나 혼자만 있는 것처럼 조용하군.

이 연구의 결실은 뒤에서 자세히 볼 수 있을 거야.

네덜란드에서 난 본격적으로

연구에 뛰어 들었어.

그 결실을 지금 말하려고 하지만 조금 걱정스러워.

앞에서 난 가장 의심스런 의견이라도 일단 따르기로 결정했다면

그냥 오던 길로 쭉 가보면 어디든 나오겠지.

언제나 따라야 한다고 말한 적이 있지.

길이 나올까?

모르겠어.

그러나 이 규칙은 도덕, 즉 행위에 관한 규칙이야.

학문과 진리 탐구에 대해서는 이것을 적용할 수 없지.

오히려 그 반대의 규칙을 적용해야 해.

앞에서 말했던 첫 번째 규칙이 바로 지금 필요한 거야.

바로 이거!

첫 번째 규칙

명백하게 참이라 알지 못한것은 어떤것도 절대 참이라고 받아 들이지 마라!!!!

나는 여러 학문을 공부했고

오랜 여행을 통해 많은 지식을 갖고 있었어.

이제는 내가 가진 모든 지식과 의견을 검사해 명백한 참을 찾아낼 차례야….

하지만 어떤 것이 명백한 참인지 어떻게 판단하지?

음… 명백한 참이란….

이 정신 속에 다른 모든 것들과 구별되어 분명하게 나타나 아무런 의심도 할 수 없는 것이지.

그러면 의심할 수 있는 것은 명백한 참이 아니겠구나!

그래서 난 조금이라도 의심 가는 것은 모두 거짓이라고 생각하고 버리기로 했어.

그렇게 의심스러운 것들을 모두 제거한 뒤에도 남아 있는 것이 있다면

이것이 바로 명백한 참일 거라고 생각했지.

이 방법을 '방법적 회의'라고 한단다.

응? '회의'라니? 도대체 뭘 회의한다는 거야?

여기서 '회의'는 여러 사람이 모여서 토의한다는 그런 '회의'가 아니야.

그냥 '의심을 품는다.'라는 말을 어렵게 쓴 거지.

그럼 왜 '회의' 앞에 '방법적'이 붙는 거야?

설명해 줄게.

예를 들어 학교에서 시험을 본다고 하자.

자, 5개의 문항 중 1개가 정답이야.

모르겠어!

내가 쉬운 방법을 알려 줄까?

나는 절대 커닝만은 안 한다는 원칙을 갖고 있는데…?

바보! 방법이라고 했다! 아~ 싫음 말고!

헤헤… 아냐….

정답이 아니라고 생각되는 것 먼저 하나하나 지워나가는 거야.

다시 말해서 의심스러운 것들은 정답이 아니라고 생각하는 거지.

흠…

이렇게 지워나가다 의심을 뚫고 마지막까지 남아 있는 게 있다면…

이거야! 이거 하나 남았어!

그게 바로 정답인 거지.

바로 이런 방법을 '방법적 회의'라고 한단다.

잡상인은 나가요!

잡상인

왜냐하면 정답을 찾기 위한 방법으로 회의, 즉 의심을 사용했기 때문이야.

빨리 나가야지..

'방법적 회의' 는 '진리를 찾기 위한 방법으로의 회의' 를 줄여서 쓴 거지.

진리를 찾기 위한 방법으로 의심을 먼저 한다는 거야?

그렇지!

혹시 '회의를 위한 회의' 라는 말을 들어본 적 있니?

회의를 위한 회의?

그래 이 말은 진리를 찾기 위해 의심하는 것이 아니라 단지 의심하기 위해 의심하는 것을 가리키는 말이야.

정답을 찾을 생각이 아니므로

5개의 답을 모두 다 의심해 버리지.

그럼 뭐가 남을까?

남는 게 없는데.

그래, 아무것도 남아 있지 않으니 정답은 알 수가 없는 거지.

누가 백지 답안을 낸 거야?

'방법적 회의' 를 이런 '회의를 위한 회의' 와 구별하지 않는다면…

데카르트가 무척 섭섭해 하겠네.

섭섭한 게 아니라 바보라고 생각하겠지.

다시 본론으로 들어가서….

우선 나는 감각을 통해 갖게 된 의견들을 검사했어.

미각 촉각 청각 후각 시각

이 많은 의견들을 다 검토했냐고…?

그럴 필요는 없어.

감각은 원리상 우리를 속일 수 있다는 것만 보여주면 충분하거든.

맞아, 감각은 사람마다 환경마다 다 달라질 수 있으니까.

모든 물체가 땅으로 떨어진다는 것을 보이기 위해

공, 돌멩이, 가방 등등 모든 물건들을 다 떨어뜨려 볼 필요는 없잖아?

모든 물체가 땅으로 떨어진다는 것을 보이기 위해서는

중력을 설명하는 것만으로도 충분하니까.

감각이 가끔씩 우리를 속인다는 것은 너희들도 잘 알 거야.

곧은 막대기를 물속에 넣으면 구부러져 보인다거나

와! 정말 그래.

차가운 물에 넣고 있던 왼손과 따뜻한 물에 넣고 있던 오른손을

재미 붙었구나.

이 둘의 중간 온도의 물에 담그면 왼손은 따뜻함을…

헤헤… 정말 그래. 느낌이 다르니까 되게 이상하다.

오른손은 차가움을 느낀다거나 하는 것들이 그 예지.

하지만 이런 예를 들지 않고도 우리가 항상 감각에 속고 있을 수 있다는 걸 보여줄 수 있어.

바로 꿈을 통해서 말이야.

잠깐만요, 나한테 좋은 이야기가 하나 있어.

뭐야 또 너냐?

하하. 분명 도움이 될 거예요. 혹시 〈매트릭스〉라는 영화 본 적 있어요?

매트? 영화? 그게 뭐야?

네오가 주인공인 SF영화인데 못 본 사람도 있을 테니까 대강 줄거리를 말해 줄게.

네오는 미국에 사는 평범한 컴퓨터 프로그래머인데…

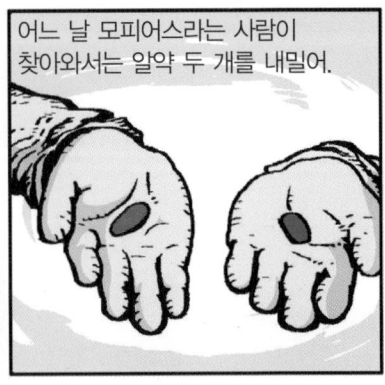

어느 날 모피어스라는 사람이 찾아와서는 알약 두 개를 내밀어.

그러면서 이렇게 말하지.

파란 알약을 먹으면 아무 일도 일어나지 않아.

어머 라고… 아… 집에 가고 싶어

넌 평소처럼 아침에 침대에서 일어날 테고

ZZZ

계속 네가 믿고 싶은 것을 믿으면 돼.

칼슘 우유니까 뼈가 튼튼해지겠지?

Milk

만약 빨간 알약을 먹으면 넌 진짜 세계를 알게 될 거야.

진짜 세계?

그래!

그게 뭐야!

네오는 빨간 알약을 먹었어.

나 같으면 안 먹어!

그러니까 네가 이 영화 주인공이 아니지.

그러고는 곧 자신이 지금까지 어떤 캡슐 안에 갇혀 있었다는 것.

진짜 세계는 완전히 파괴되고 오염되었으며…

엄청난 지능을 가진 커다란 기계에 의해 지배되고 있다는 것을 알게 되지.

자신이 지금껏 실재라고 생각했던 세상은 한날 꿈이었을 뿐이라는 사실과 함께 말이야.

…무서워.

네오는 포근한 침대를 갖고 있었고

공원에서 햇볕을 쬐며 산책을 했었어.

헤이~ 날씨가 좋아요.

새들은 지저귀었고

배고프다….

빵집에서는 맛있는 빵들이 김을 피워 올리고 있었어.

샘! 방금 나온 걸로 줘요!

때로는 차가운 바닷물에서 연인과 함께 수영도 했었지.

다다다…

그토록 생생했던 이 모든 것들이 전부 다 기계가 네오의 머릿속에 집어 넣은 꿈이었던 거야.

우리가 살고 있는 세계도 이렇지 않다는 보장이 없어.

흠… 상당히 적절한 비유였어.

뭐… 그런 것이 있어요.

네오의 경우에서 알 수 있듯이 우리의 모든 감각이 우리 자신을 속이고 있다고 의심해 볼 수 있어.

실제로는 좁은 캡슐 안에 갇혀 있는데 마치 황금빛 모래가 깔린 바닷가에서 수영을 하는 착각을 하고 있는 것처럼 말이야.

따라서 나는 감각을 통해 받아들인 의견은 참이 아니라고 거부할 수 있지.

하지만 꿈속에서조차 의심할 수 없는 것들이 있어.

수학적 진리가 바로 그런 것이지.

2+3=5라는 것, 삼각형은 세 변으로 둘러싸인 도형이라는 것은

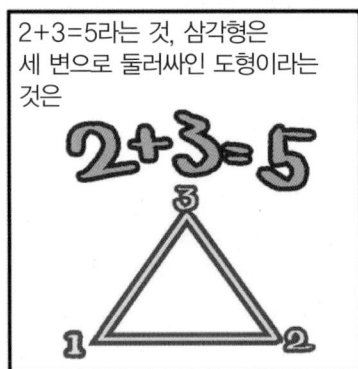

꿈에서건 현실에서건 모두 의심할 수 없어.

꿈이라고 해서 2+3=6이 될 순 없고 삼각형이 네 변을 가질 순 없으니까.

그러면 수학적 진리는 결코 의심할 수 없는 것일까?

수학적 진리도 의심할 수 있어.

우리는 아주 간단한 기하학 원리에 대한 추론조차 헷갈리고

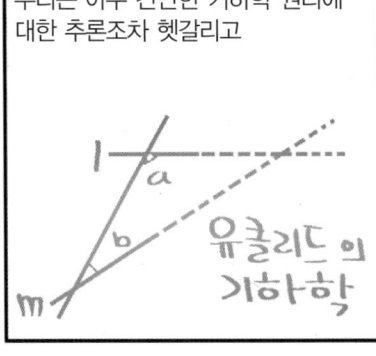

쉽게 오류를 범하는 경우가 많아.

방법서설

그러면서도 잘못 추론한 것을 참된 증명이라고 철석같이 믿어버린단다.

따라서 우리가 수학적 진리라고 굳게 믿었던 것이 사실은 잘못된 추론에 근거하고 있는 거짓일 수 있는 거야.

그러면 수학적 진리도 의심할 수 있는 것이므로

거짓으로 거부해 버려야 할까?

난 지금까지 수학이 다른 학문들보다 훨씬 더 큰 확실성을 갖는다고 여러 차례 말해왔어.

심지어는 방법의 규칙들도 수학을 모델로 해서 만들었을 정도지.

그런데 이렇게 쉽게 의심할 수 있다면 수학도 다른 학문들과 다르지 않잖아?

수학이 가진 확실성은 이렇게 쉽게 의심될 수 있는 것이 아니야.

물론 우리는 추론을 할 때 오류를 범해서 잘못된 증명을 할 수 있어.

이렇게 현실에서도 종종 오류를 범하는데…

하지만 정신을 집중하고

차례차례 순서대로 추론해 나간다면 설령 꿈속이라고 해도 올바른 증명에 도달할 수 있어.

아자! 아자! 파이팅!

정신 바짝 차리고 추론해 봐!!

에이~ 어떻게 꿈 속에서 올바른 증명을 해?

'뭐가 아자' 야? 너 때문에 시끄러워서 잠도 못 자겠다.

빨리 좀 가라—!!

물론 현실에서 하는 것보다 더 힘은 들겠지만 말이야. 하하···.

쿵····.

말하자면 이렇게 잘못된 추론에 근거하고 있는 증명들은 세심하게 검사하면 충분히 밝혀낼 수가 있다는 얘기군.

그렇지!

감각에 의해 갖게 된 의견들은 네오의 꿈 예를 통해 쉽게 의심할 수 있었지만

수학적 진리의 경우엔 그렇게 쉽지 않아.

그래서 그만큼 확실하다는 거야.

수학적 진리가 말이야.

나도 알아.

그러면 진짜 수학적 진리는 의심할 수 없는 걸까?

의심할 수 있으니까 계속 물어보는 것 같은데?

예리!

나는 앞에서 명백한 참을 아는 방법에는 두 가지가 있다고 말했는데···

그게 뭔지 기억해?

직관과 연역!

맞아. 연역의 경우에는 사람들이 스스로 헷갈리거나

이 길이던가? 분명히 나무와 갈대숲이 있던 길인데···

주의를 게을리 해서 오류를 범하고 거짓을 참이라고 속는 일이 많지만

저 가까이에 나무가 보이니까 저 길로 일단 가 보자.

세심한 검사를 통해 오류를 찾아낼 수 있어.

이런 경우엔 미리 그려진 지도나 좀 더 옛 기억을 더듬 는다면 길을 잘못 들어서는 일은 없겠지?

하지만 우리가 직관에 속고 있다면 어떨까?

누구 좀 도와줘요!

교통사고 예요!

전에 직관이 '(연역을 거치지 않고) 바로 보다' 라는 뜻이라는 것을 말한 적이 있지?

빼… 뺑소니야…!

연역을 거치지 않으니까 애초에 잘못된 추론을 하려야 할 수가 없지.

그 차가 무슨 색이라고요?

검정색 차였습니다.

따라서 만약 사실은 거짓인데 직관에 의해 참이라고 속고 있는 진리가 있다면

사실 그 차는 어두운 녹색이었어. 하지만 저녁 무렵이었고 짧은 순간 봤기 때문에 검은색으로 보게 된 것이지.

우리는 그것이 거짓이란 걸 결코 알 수가 없을 거야.

그래서 그는 확신을 해 버린 거야.

연역의 경우와는 달리 아무리 정신을 집중하고 검토해 봐도 그것이 거짓이라는 것을 찾아낼 수 없으니까 말이야.

내 말이 맞다니까!!

검정색 차가 틀림없다니까요. 내 시력이 양쪽 다 1.5라고요!

난 아니에요. 단지 그 시간에 그 자리를 지나간 죄밖에 없다니까요… 으흑!

네오가 꿈 속에서 아무리 정신을 집중해도

수영 실력이 형편없네. 어서 따라와 봐!

기다려! 아하하!

그것이 꿈이라는 것을 알지 못하는 것과 마찬가지지.

아하하…

이처럼 수학적 진리의 경우조차도

$2 \times 2 = 4$
$2 \times 3 = 6$
$2 \times 4 = 8$
$2 \times 5 = 10$
$2 \times 6 = 12$
$2 \times 7 = 14 = 16$

우리가 완전히 속고 있을 수 있다는 것.

바보! 다 틀렸어.

네? 그게 무슨 말씀 이세요?

따라서 그것이 거짓일 수 있다는 것을 의심해 볼 수 있어.

글쎄 말이야… 말하자면 우리가 아는 것과 전혀 다를 수도 있다는 얘기지… 뭐 아닐 수도 있고….

조금 어렵지…?

좀 난해해요.

하지만 같은 내용을 여러 번 반복해서 읽다보면 조금씩 이해가 될 거라고 믿어.

데카르트가 한 말은 아니지만

수학적 직관이 우리를 속이고 있는 예가 실제로 있어.

하지만 그것을 여기에서 설명하는 것은 적절하지 않은 것 같아.

내가 한 말이 아니니 여기서 얘기하기긴 좀 그렇잖아?

다만 우리가 수학에서도 속을 수 있다는 것, 수학적 진리라고 철석같이 믿는 것도 의심할 수 있다는 것만은 기억했으면 해.

대체 누가 2+3이 5라고 정해 놓은 거지? 그런데 우린 이것을 너무나 당연히 받아들이잖아.

으음….

이것에 더 알고픈 사람이 있으면 6장 맨끝을 참조해서 읽어 봐.

지금 애기만으로도 소화하기 버거운데….

멈칫

그래?

아니… 뭐 그렇다고 전혀 이해가 안 간다는 건 아니고요.

아이고… 지금껏 한 애기를 또 반복하면 어쩐다.

내가 그렇게 설명을 못하나?

아, 참. 감각이 우리를 속일 수 있다는 것과

왜 간지러운데 눈물이 나는 거지?

수학적 진리도 의심할 수 있다는 것을 따로따로 설명하지 않고 한 번에 해결할 수 있는 방법도 있어.

신만큼은 아니지만 일부 비슷한 능력을 갖고 있는 악마를 가정하는 건데….

왜 이러셔? 신만큼이나 내 능력도 엄청나!

악마요?

그래! 바로 나!

……

이 악마는 우리를 속이는 것을 최고의 목적으로 하고 있어.

어때? 이렇게 엄청난 능력을 갖고 있는 악마라면 감각뿐만 아니라

수학적 진리에 있어서도 우리를 속이는 것은 식은 죽 먹기겠지?

이 악마의 가설은 안타깝지만 《방법서설》이 아니라…

《성찰》에 나오는 얘기야.

내 철학에 관심 있으면 나중에 한 번 읽어봐.

난 이렇게 모든 것들을 거짓이라고 의심해 보고 있었어. 하지만…

맞아….

이렇게 모든 것을 의심하고 있는 동안 그것들을 생각하고 있는 나는 반드시 어떤 것이어야 한다는 것,

즉 '나는 생각한다. 그러므로 나는 존재한다.'*는 것을 깨달은 거야.

데카르트에게 있어 이 진리는 너무나 확실해서 어떠한 의심에도 결코 흔들리지 않았어.

흠….

*원어로는 Cogito ergo sum

오히려 의심하면 할수록 그렇게 의심하고 있는 나의 존재는 더욱 더 명백해졌지.

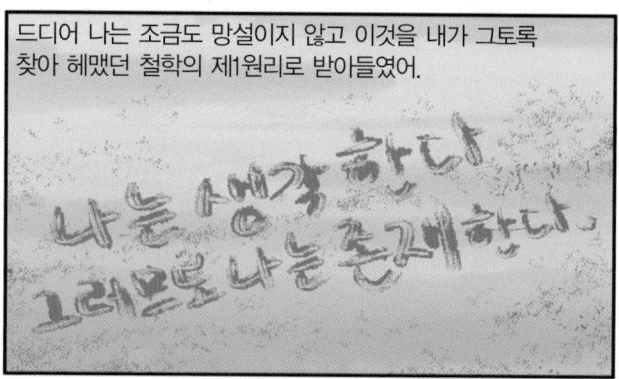

드디어 나는 조금도 망설이지 않고 이것을 내가 그토록 찾아 헤맸던 철학의 제1원리로 받아들였어.

전체는 부분보다 더 크다?

데카르트는 의심할 수 있는 것은 모두 의심해 보기로 작정하고, 조금이라도 의심할 수 있는 것은 명백한 참의 후보에서 제외하기로 했어. 그가 제일 의심하기 어려웠던 것은 수학적 진리였어. 수학적 연역의 경우에는 잘못된 추론에 의해 거짓인 것을 참인 것으로 믿고 있을 수 있다고 비교적 쉽게 의심할 수 있었지. 하지만 수학적 직관의 경우에는 그것이 어떻게 거짓일 수 있는지 의심하기가 정말 어려웠는데, 왜냐하면 직관한다는 것은 이성이 직접 아는 것이기 때문이었어. 그럼에도 불구하고 데카르트는 수학적 직관까지도 의심할 수 있다고 했어. 여기서 그 예를 하나 들어볼게. 아마 데카르트 자신도 잘못된 수학적 직관이 실제로 있으리라고는 생각하지 못했을 거야.

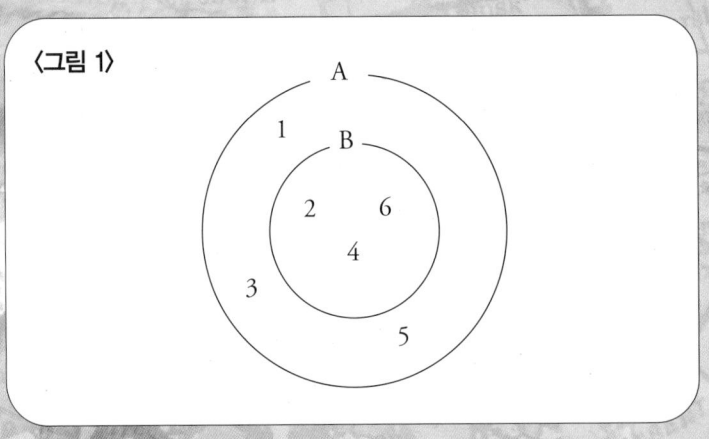

〈그림 1〉

'전체는 부분보다 더 크다' 는 명제에 대해 생각해 보자. 이 명제는 도무지 의심하려야 의심할 수 없이 자명해 보여. 누구나 이 명제를 보면 아무런 증명 없이도 그것이 참이라는 것을 직관적으로 알 수 있다고 생각할 거야.

〈그림 1〉은 전체가 부분보다 더 크다는 우리의 직관을 잘 나타내주고 있어. 여기서 B는 A의 진부분집합이야. (B의 원소인 것은 반드시 A의 원소이면서 A와 B는 같지 않을 때, B를 A의 진부분집합이라고 해.) 〈그림 1〉에서 보이는 것처럼 전체집합 A에는 {1,2,3,4,5,6}이 포함되어 있고 진부분집합 B에는 {2,4,6}이 포함되어 있으니까 A는 B보다 더 커. 어떤 집합이 다른 집합보다 더 크다는 말은 두 집합의 원소를 하나씩 대응시켜보면 어느 한 집합의 원소가 남는다는 말과 같아. 만약 두 집합의 원소가 남지도 모자라지도 않고 서로 하나씩 대응하면 두 집합은 크기가 같은 집합인 거고. 전체집합과 그것의 진부분집합의 원소를 하나씩 대응시켜보면 전체집합의 원소가 남으니까 전체집합이 진부분집합보다 더 큰 거지.

그럼 자연수 전체의 집합과 짝수 전체의 집합은 어느 쪽이 더 클까? 짝수의 집합은 자연수집합의 진부분집합이니까 당연히 자연수의 집합이 더 크다고 답변하는 것이 직관적으로 맞는 것처럼 보여. 전체는 부분보다 더 크니까 말이야. 하지만 자연수 전체의 집합과 짝수 전체의 집합의 크기를 실제로 비교해보면 이 두 집합의 크기는 똑같다는 걸 알 수 있어. 어떻게 똑같을 수 있냐고? 이 두 집합의 원소를 서로 하나씩 대응시켜 보도록 할게.

$1 \rightarrow 2$

$2 \rightarrow 4$

$3 \rightarrow 6$

$4 \rightarrow 8$

$\vdots \quad \vdots$

　왼편이 자연수의 집합이고 오른편이 짝수의 집합이야. 어떤 집합이 다른 집합보다 더 크려면 서로 하나씩 대응시켰을 때 큰 집합 쪽의 원소가 남아야 해. 하지만 자연수의 집합과 짝수의 집합을 하나씩 대응시켜보면 양쪽 모두 남거나 모자라지 않고 하나씩 대응해. 따라서 두 집합은 크기가 같아. 이상하다고? 끝까지 전부 다 대응시켜보면 언젠가는 자연수집합의 원소가 남게 될 거라고? 그렇지 않아. 자연수집합의 원소 중에서 아무 거나 하나를 골라봐. 아무리 큰 수라도 상관없어. 100,000,000을 골랐다고? 이 수에 대응하는 짝수집합의 원소는 200,000,000이야. 자연수의 집합에서 어떤 수를 고르든 간에, 또 그 수가 아무리 크다고 할지라도 짝수의 집합에는 항상 그 수에 대응하는 원소가 있어. 그래서 두 집합은 크기가 같다고 볼 수 있지.

　그러면 유리수의 집합과 그 진부분집합인 자연수의 집합은 크기가 같을까? 다시 말해, 자연수집합의 원소와 유리수집합의 원소는 서로 남지도 모자라지도 않게 하나씩 대응할 수 있을까? (유리수는 …, −3, −2, −1, 0, 1, 2, 3, …과 같은 정수와 이 정수를 분자와 분모로 사용해 만든 분수(분모가 0이어서는 안 되겠지?)를 모두 포함한 수를 가리키는 말이야. 예를 들어, $\frac{-2}{3}$, $\frac{1}{5}$, $\frac{3}{2}$, 같은 것들이 유리수지. 정수도 당연히 포함되고.) 자연수의 집합과 짝수의 집합은 서로 남김없이 하나씩 대응했지만 자연수의 집합과 유리수의 집합은 그렇게 안 될 거라고? 왜 그렇게 생각해? 자연수 1과 2 사이에만도 $\frac{1}{2}$, $\frac{1}{3}$, $\frac{1}{4}$, … 등과 같이 무한한 유리수가 있는데 어떻게 자연수가 모자라지 않고 유리수 전체와 대응할 수 있겠냐고? 좋아. 그럼 한번 대응시켜 볼까?

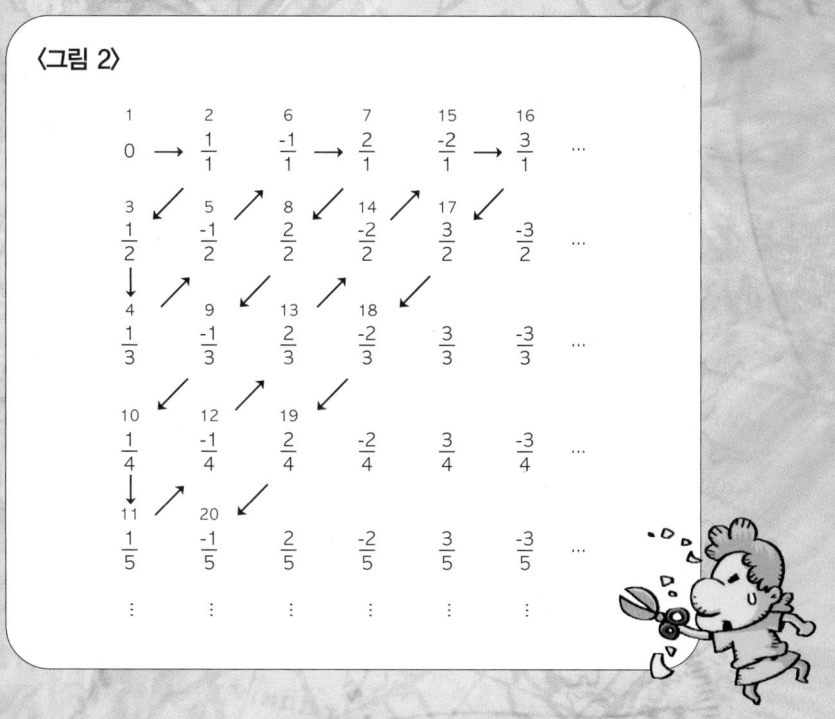

〈그림 2〉

〈그림 2〉는 모든 유리수를 배열한 거야. 빠진 유리수 없지? 유리수 전부를 이렇게 셀 수 있도록 배열했다면 경기는 끝난 거야. 모든 유리수를 하나도 남김없이 자연수와 일대일로 대응시킬 수 있으니까. 그래서 유리수의 집합과 그 진부분집합인 자연수의 집합은 크기가 같아.

지금까지 본 것처럼 전체는 부분과 크기가 같을 수도 있으므로 전체가 부분보다 더 크다는 수학적 직관은 틀렸어. 따라서 직관도 틀릴 수 있다는 데카르트의 의심은 정당한 거야. 직관적으로 참이라고 생각하는 것들 중에 이처럼 틀린 것이 있는지 한번 찾아보는 것도 재미있겠지? (지금까지 이야기한 것들은 수학의 한 분야인 집합론에서 다루어지는 내용이야. 관심 있는 사람은 나중에 더 깊이 공부해 봐.)

제7장 나는 생각한다 그러므로 나는 존재한다

드디어 철학의 제1원리를 찾아서 나는 말할 수 없이 기쁘고 즐거웠어.

하지만 이 진리는 끝이 아니라 시작일 뿐이야.

이제 시작이라고?

당연하지, 이제 이 책에 중간 정도야.

벌써 반은 배운 거야

이제 비로소 연구를 시작할 수 있게 된 거지. '나는 생각한다. 그러므로 나는 존재한다.'

응? 어디선가 듣던 말인데?

바보! 6장 마지막에서 나왔던 말이잖아.

'나는 생각한다. 그러므로 나는 존재한다.' 나는 이 진리를 어떻게 철학의 기초로 사용할 수 있을까 생각하던 중 문득 그러면 이 '나'는 누굴까 하고 궁금해졌어.

나? 여기서의 '나'는 누굴 말하는 거지?

데카르트가 바보 같다고?

나… 난 바보 같다고 생각한 적 없어.

누구나 자기가 누구인지 안다고?

흠… 과연 그럴까?

난 알겠는데….

그렇게 간단하지 않아!

그럼 내가 너희들에게 물어볼게.

너희들은 누구니?

전 영이예요….

저는 철수.

하지만 넌 영이가 아닐 수 있었어. 부모님이 다른 이름을 지었을 수도 있거든. 철수도 마찬가지고.

그… 그거야.

너희들이 가지고 있는 얼굴이나 몸이 바로 너희들이라고?

영이는 동그란 눈을 한 귀여운 얼굴과 작은 손을 갖고 있고

철수는 짧은 머리카락에 큰 키와 여드름이 난 얼굴을 가지고 있다고?

앞에서 너희들이 살고 있는 세상이 꿈일 가능성이 있다고 말한 적이 있는데…

그걸 벌써 잊어버린 건 아니겠지?

잊어버리다니… 난 기억하고 있어.

네가 기억하고 있는 걸 보니 걱정 안 해도 되겠어.

무슨 뜻이야?

세상이 꿈일 수 있다면 그 안에 살고 있는 사람들도 꿈일 수 있고

데카르트와 이렇게 같이 있는 것도 설마… 꿈?

꿈이고 싶다…

그 사람들이 가진 육체도 꿈일 수 있는 거야.

악!

아파~!

물론 너희들이 자신의 몸이라고 생각하는 것도 사실은 꿈일 수 있는 거지.

꿈 아닌 것 같은데, 너 아픈 거 맞지?

네 얼굴을 꼬집어보면 알 거 아니야!

내가 진실을 말해 줄까?

벼… 별로 알고 싶지 않은데.

사실 너희들은 나비일 뿐이야.

으아악 싫어!

윽. 진작에 들어갈걸…

펑?

어느 맑은 봄날 영이 나비와 철수 나비가 팔랑팔랑 하늘을 날다가 잠시 꽃잎 위에 쉬려고 앉았다가 잠이 들어 꿈을 꾸고 있는 거야.

영이 나비는 귀여운 얼굴을 가진 여자 아이가 되는 꿈을…

철수는 큰 키의 남자 아이가 된 꿈을 꾸고 있는 거야.

사실이 이런데도 계속 너희들이 갖고 있는 외적인 모습이

바로 너희들이라고 자신 있게 우길 수 있겠니?

자, 이제 너희들이 누구인지 다시 말해봐.

나… 나비? 아니야?

그래. 잘 모르겠지?

자, 내 말을 다시 한번 잘 들어 보라고.

나는 신체를 갖고 있지 않고, 세계는 꿈일 뿐이라고 거짓으로 생각할 수는 있지만…

내가 존재하지 않는 다고 거짓으로 생각할 수는 없어.

뭐라고?

오히려 그렇게 생각하려고 하면 할수록 내가 존재한다는 사실은 점점 더 명백해질 뿐이야.

존재감

반대로, 내가 생각하는 걸 멈춰버리면 나는 존재하지 않게 돼.

생각을 멈춘다고?

그래… 생각이 멈춘다면 나는 존재하지 않아.

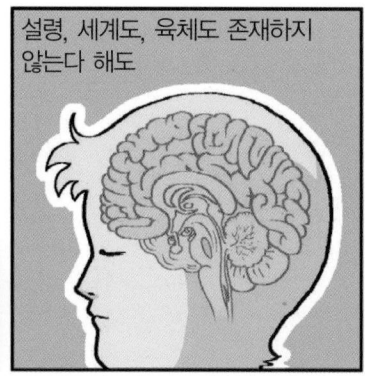

설령, 세계도, 육체도 존재하지 않는다 해도

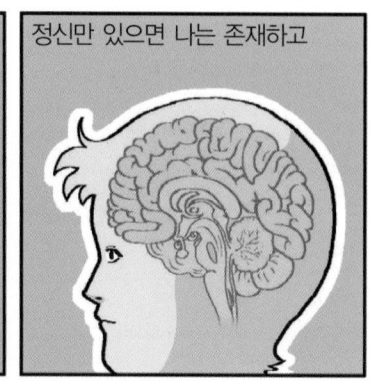

정신만 있으면 나는 존재하고

세계와 육체가 존재한다고 해도 정신이 존재하지 않는다면 나는 없는 거야.

뇌사 상태입니다.

그렇지 내가 죽으면 세계나 육체가 있다 해도 아무 의미가 없는걸.

그러므로 나의 본질은 바로 정신이지.

정신은 세계나 몸과 같은 물질적인 것에 의존하지 않아.

오….

그것은 물질과는 전혀 다른 거야.

이제 이해가 되니?

흠….

영이와 철수는 물질적인 외모가 아니라

바로 영이의 정신, 철수의 정신이야. 정신이 바로 너희 자신이지.

정신의 본질은 생각이야.

생각이…?

어려운 말로 '사유(思惟)'라고 하지.

사유?

'생각 사'에 '생각 유'를 쓰지.

그러면 사유한다는 것은 어떤 것을 가리키는 걸까?

무언가를 생각하는 것.

그래, 맞아.

방금 전에 내가 했던 것처럼 어떤 것을 의심하는 것도 사유지.

바로 이런 거.

나는 생각한다 그러므로 나는 존재한다!!

'나'는 누구지?

어떤 것을 이해하는 것,

엄마, 겨울인데 왜 눈이 안 와?

날이 안 추우니까 비만 자꾸 오는구나.

어떤 것이 틀렸다고 또는 맞았다고 생각하는 것,

이 녀석들 시험 어지간히도 못 봤네, 죄다 틀렸어!

어떤 것을 하고 싶다고 바라는 것.

어떤 것을 상상하는 것도 모두 사유야. 물론 상상에 의해 만들어진 것, 예를 들면….

예를 들면?

사람의 머리에 날개 달린 사자의 몸을 가진 스핑크스는 실제로 존재하지 않으므로 참이 아니라고 할 수 있어.

하지만 우리가 어떤 것을 상상하는 힘을 갖고 있다는 것은 참이야.

근사한 것이 나올 것 같아….

상상하는 것도 사유의 한 부분이므로 '나는 상상한다. 그러므로 나는 존재한다.' 고 말해도 참이겠지?

그러면 어떤 것을 감각하는 것은 사유일까 아닐까?

아, 그건…

결론은 이것도 사유야!

앞에서 말한 것처럼 감각은 실제로 있지도 않은 것을 있다고 속이거나

희한하군.

전혀 사실과 다르게 느끼도록 우리를 속일 수 있지.

분명히 곧은 막대를 넣었는데?

하지만 우리는 감각의 대상에 관해서 속고 있는 거지, 감각 자체에 관해서는 결코 속고 있지 않아.

데카르트, 내가 쉽게 예를 들어 볼게요.

좀 어렵나?

뭐, 그러든지.

방법서설

철수는 날카로운 칼에 베여 심한 고통을 느끼는 꿈을 꾸고 있어.

물론 꿈일 뿐이야.

꿈이야, 꿈.

그러면 철수가 꿈 속에서 느끼고 있는 고통은 참일까, 아닐까?

당연히 참이 아니지, 꿈 속에서의 일인데 뭐.

글쎄…

영이는 예쁜 강아지가 자기를 간지럽히는 꿈을 꾸고 있어.

물론 영이네는 실제로는 강아지를 키우지 않아.

강아지 키우고 싶다

그러면 영이가 꿈 속에서 느끼는 간지러움은 참일까 아닐까?

둘 다 참이야. 그렇죠, 데카르트?

다쳤다거나 강아지가 간질인다거나 하는 외부의 일은 거짓일 수 있어.

그건, 꿈이니까.

맞아.

하지만 꿈이라고 해서 고통스러움이 고통스러움이 아닐 수는 없지.

고통스러움이 고통스러움이 아닐 수 없다고? 그럼 결국 고통스러울 수도 있다는 말이잖아.

생각해 봐.

간지러움이 간지러움이 아닐 수도 없고.

꿈에서 깨고 나면 진땀도 나고 아프기도 한 적이 있지? 가위에 눌린다거나 말이야.

데카르트는 바로 이것을 말하고 있는 거야.

정신의 본질은 사유이고, 사유는 방금 말한 저런 작용들을 가리켜.

으~ 어깨 결려… 정말 누구한테 얻어맞은 것 같아.

그러면 물질의 본질은 뭘까? 바로 연장(延長)이야.

연장은 크기야, 물질은 반드시 크기를 가져. 크기를 갖는다는 건 뭘 말하는 걸까?

크기?

혹시 공간을 말하는 게 아냐?

그래, 맞아. 공간을 차지한다는 거지. 그래서 물질은 반드시 공간 속에 존재하지.

그런데 정신은 크기를 갖지 않지. 따라서 정신은 물질이 아니야.

그래서 공간을 차지하지 않지.

이렇게 정신과 물체는 서로 완전히 달라.

음, 그러니까 물체는 손에 만져지지만 정신은 만져지지 않는다는 걸로 구분지어도 되겠다.

그렇지

사람들은 이런 이유로 내 형이상학을 이원론(二元論)이라고 불러.

음… 데카르트의 이원론이라고 하지.

다시 말해, 정신과 물질이라는 두 개의 전혀 다른 실체가 존재한다고 주장하는 이론이라는 거지.

정신과 물질?

그래, 이 두 개를 데카르트는 전혀 다른 두 존재로 봤던 거야.

지금 설명해 주시겠어요?

아니….

정신과 물질의 이원론에 대해서는 다음에 다시 이야기할 기회가 있을 거야.

아… 그래요.

자, 이제부터는 내가 존재한다는 것에서부터 신이 존재한다는 것을 증명할 거야.

내가 존재한다는 것을 증명하는 것도 기대할 만하지만….

신의 존재를 증명한다니.. 가슴이 두근거리지 않니?

그… 글쎄….

이 대목이 《방법서설》에서 가장 어려운 부분이라고 할 수 있지.

뭐 그렇다고 이 부분이 가장 중요하다는 뜻은 아니야. 그렇죠?

오히려 지금까지 지나왔던 과정들이 훨씬 더 중요하지.

지금까지 지나왔던 과정들을 한 번씩 훑어보는 것도 도움이 될 거야.

이 부분이 어려운 이유는 증명이 복잡하기 때문이 아니라 증명에 사용되는 용어들이 어렵기 때문이지, 물론 너희 입장에서 말이야.

그러니까 용어에만 주의하면서 읽어나가면….

훨씬 더 쉽게 이해할 수 있을 거야.

모처럼 한 마디 했는데…!

이제 그만 들어가시지, 그다지 설명할 것도 없는데.

자 너희들은 '신' 하면 무엇이 떠오르니?

제일 먼저 하나님이나 부처님처럼 종교에서의 신을 떠올릴 수 있을 것이고…

또 그리스 신화를 좋아하는 사람은 제우스나 헤라 여신을…

사인해 줄까?

잘난 척 응….

우리나라의 옛날 이야기를 좋아하는 사람은 옥황상제를 생각할 수도 있겠죠?

그렇지!

내가 여기서 증명하는 신은 당연히 기독교의 신이야.

아항~ 데카르트는 기독교인이구나.

나는 기독교도거든.

하지만 그가 증명한 신이 확실히 기독교의 신인지는 좀 의심스러워.

뭬야?

진정해요, 데카르트.

기독교의 신에 관해 생각할 때 우리는 대개 사람의 모습을 떠올려.

맞아, 우리가 뭘 잘못해도 다 용서해 주실 것 같은 따뜻하고 자애로우신 모습을 상상하게 되지.

성경에도 신이 그의 모습을 따라 사람을 만들었다고 나와 있고….

신은 인간을 보살피고 지배하며 천국을
약속해. 신은 언제나 인간과 함께야.

데카르트가 증명하는 신이 기독교의
신인 것은 분명하지만

그래, 이런 모습의
신은 아니야.

뚝끔

데카르트의 신은 사람다운 모습이
나 성질을 전혀 갖고 있지 않아.

인간적인
면이 하나도
없지.

그럼 자기처럼
좀 차갑고
완벽주의자고
뭐 그런 거야?

내가
뭘

그런 셈이지. 이런 사실을 모르고
신 존재의 증명을 읽는다면…

너무
딱딱해….

그렇지?

그것이 신에 대한 증명인지 어떤 법칙이나
원리에 대한 증명인지 헷갈릴 수밖에 없어.

신은 어디 가고
순 이래야 된다,
저래야 된다는
원칙뿐이야.

그래서 신 존재 증명으로 들어가기에 앞서 데카르트의 신이 어떤
속성(성질)을 갖고 있는지 미리 알아둘 필요가 있어.

신은 무한하고, 영원하며,
불변하는 존재야.
그리고 신은 모든 것을
할 수 있어.

단지 이것뿐이야.

꼭 자네가
추구하는 삶인
것 같군.

그럴지도….

보통 우리가 신에게 기대하는 것들,
예를 들어 인자함이나

주일 예배 빠져서
조금 찝찝하지만
처음이니까 뭐 용서해
주실 거야.

사랑 같은 속성들을 데카르트의
신에게는 기대해서는 안 돼.

뭐? 주일
예배를 지키지
않았다고?
용서할 수
없어!

방법서설

데카르트가 생각하는 신이 어떤 존재인지 다음 장에서 자세하게 이야기할 기회가 있을 거야.

다음에 보자고….

그건 그렇고, 신이 가진 이와 같은 속성들을 한마디로 표현하려면 어떤 말이 적당할까?

완전… 하다?

그래, 바로 '완전성' 이지. 신은 완전해.

'신' 이라는 말이 나올 때마다 '완전성' 을 떠올린다면 신 존재 증명을 이해하기가 훨씬 쉬울 거야.

아마 데카르트가 가장 좋아하는 단어 중에 하나일 거야. '완전성' 말이야.

나는 모든 것을 의심한 끝에 '나는 생각한다. 그러므로 나는 존재한다.' 는 명제를 찾아냈어.

뭘들 하는거야!?

나는 이 명제가 명백하게 참이라는 것을 알 수 있었지.

??

어떻게?

흡!

'명백하다' 라는 말은 '명석 판명하게 내 정신에 나타나 아무런 의심도 할 수 없다' 는 뜻이라는 것은 전에 말한 적이 있을 거야.

설마, 이것까지 기억이 안 나는 것은 아니겠지?

아, 그건 기억이 나요.

나… 나도.

'나는 생각한다. 그러므로 나는 존재한다.'

나는 위에 적힌 이 명제가 명백한 참이라는 것에서 부터 말이야.

또 나왔네―

명석 판명하게 인식하는 것은 모두 참이라는 것을

분명한 것! 아주 분명한 것!

일반적인 규칙으로 삼을 수 있겠다고 생각했지.

일반적인 규칙

일반적인 규칙

일반적인 규칙

이제 명석 판명하게 인식한 것들, 즉 참을 기초로 해서 학문을 바로 세울 일만 남아 있는 거야.

참 참
저벽 저벽

이때 한 가지 의문이 떠올랐어.

누가 보증하지?

에? 빚보증?

장난해?

명석 판명하게 인식하는 것이 모두 참이라는 것은 누가 보증하느냔 말이야.

신은 전능하기 때문에 어떤 것이 거짓인데도 나에게는 명석 판명하게 인식되도록 만들 수 있는데 말이야.

데카르트는 신을 정말 완전하다고 믿는구나.

당연하지. 그의 성격상 조금이라고 의심스러우면 결코 믿지 않을 거야.

만약 신이 나를 속였다면 나는 도대체 어디서 어떻게 진리를 찾아야 할까?

나 배고픈데...

난 이런 의심을 없애기 위해서 하루라도 빨리 신이 존재하는지,

내 믿음을 증명해야 해!

신의 존재를 확인해야 한다고!

신이 우리를 속이는지 알아봐야 한다고 생각했어.

시간 낭비야, 다 인간이 만들어놓은 허구일 뿐이라고.

이것을 알지 못하면 결코 완전하게 확실한 진리를 가질 수 없다는 것은 분명하니까.

신이 어딨어? 보여줘! 보여줘!

이걸 확!!

그럼 신의 존재를 증명하기 위해서는 어떻게 해야 하는 걸까?

저 높은 곳으로 가면 신을 증명 할 수 있을까?

휘이잉

수억 년 동안 온 우주를 샅샅이 뒤진다면 신을 발견할 수 있을까?

혹시 이곳이라면?

그래도 아마 발견할 수 없을 거야.

왜냐하면 신은 영원하고 무한 하니까.

그럼 이 복장은 왜 한 거야?

하지만 어쩌면 생각보다 쉽게 신을 찾을 수 있을지도 몰라.

신은 언제나 어느 곳에나 존재하니까.

여… 여기도?

그렇다면 신을 찾기 위해 우주를 뒤질 것이 아니라,

바로 여기서 찾아보는 건 어때?

여기서?

나는 외부 세계가 실제로 존재하지 않을 수도 있다고 의심했었어.

가짜야, 가짜.

이렇게 의심스러운 곳에서 신을 찾으려 하면 안 되겠지?

데카르트, 그만 뜸들이고 말해 줘. 답답하다고!

좋아.

나에게 남아 있는 가장 확실한 것은 내가 생각한다는 것뿐이야.

그래, 맞아! 내 정신(마음) 속을 뒤져보자.

정신?

그래, 어쩌면 거기서 무언가를 발견할지도 몰라.

여기 말이야?

나는 마음속을 들여다보고 거기에서 많은 생각들을 발견했어.

오! 보인다.

보여!

원맨쇼 하는 것 같아.

그리고 그것들을 관찰하여 몇 가지로 분류할 수 있었지.

그중 하나는 관념이야.

관념은 마음속에 나타나는 사물의 모습이나 생각의 내용을 가리키는 말이야.

마음속에 나타나는 사물의 모습과 생각의 내용을 관념이라고 한다는 거지… 음.

지금 마음속에 천사를 생각해 봐.

뭐하고 있어? 생각해 보라니깐.

하고 있어.

그래, 그러면 대개는 하얀 옷을 입고 날개가 달린 사람의 모습이 떠오를 거야.

어? 어떻게 알았지?

우리 모두가 상상하는 일반적인 천사의 모습이니까.

그것이 바로 천사의 관념이야.

또 마음속에 평화를 생각해 봐.

평화라….

그러면 평화라는 생각이 갖는 내용들이 떠오를 거야.

그래! 떠올랐어, 온 가족이 모여 앉아 저녁 먹으면서 즐겁게 이야기하기!

그것이 바로 평화의 관념이야.

네가 갖는 평화의 관념은 뭐야?

따뜻해 보이는 시골 마을?

그 외에도 마음속에는 수많은 관념이 있어.

하늘, 땅, 신, 악마, 사람….

내가 해 볼게.

고래, 다람쥐, 나무, 꽃, 비, 무지개, 전쟁, 평화, 삶, 죽음, 크기, 공간, 시간, 진리 등등

헥헥! 끝이 없다!

다른 하나는 의지와 정념이야.

윽, 뭐야?

의지 정념

의지는 무언가를 하고자 하는 마음이고

좋아! 결심했어, 이번 학기엔 기필코 장학금을 받을 거야!

장학금!!

정념은 무언가를 좋아하거나 미워하거나 두려워하거나 슬퍼하거나 하는 마음이야.

좋아해…

나머지 하나는 판단이지.

겨울은 추우니까 비보단 눈이 오겠지? 뭐 이런 거?

그래, 판단은 무엇이 어떠하다는 생각이야.

나 데카르트와 같이 있다보니 점점 똑똑해 지는 것 같아.

그래! 그것도 판단이야.

예를 들어, 코끼리는 긴 코를 갖고 있다는 생각…

코가 길어서 먹을 것도 쉽게 집어 먹을 수 있겠다.

재미 붙였군.

이것도 판단 이지?

'나는 영이를 좋아한다' 는 생각,

'장미꽃에는 가시가 있다' 는 생각 등이 판단이지.

조심해요, 장미에는 가시가 있어요.

장미 …

관념, 의지와 정념, 판단 중에서 나는 관념을 좀 더 깊이 조사해 보기로 했어.

왜냐하면 내가 가진 관념들 중에는 신의 관념도 있었기 때문이지.

드디어 관념을 조사해 본 결과…

오!

나는 그것들을 세 가지로 나눌 수 있다는 것을 알게 되었어.

이렇게 세 가지로 나누면 설명하기가 쉽겠어.

그 하나는 마음속에 본래부터 있었던 관념이야.

이것을 어려운 말로 '본유관념' 이라고 해.

본유관념?

왜 어려운 말로 이렇게 해

예를 들면, 물질의 본질(즉, 크기)에 대한 관념, 나의 본질(즉, 사유)에 대한 관념, 진리의 관념 같은 것들이 바로 그거야.

나 똑똑 하지?

말하자면 크기, 사유, 진리의 관념이 바로 본유관념이라는 거지?

데카가 한 말을 똑같이 되풀이 하잖아.

다른 하나는 외부에서부터 들어온 관념이야.

이것을 '외래관념'이라고 해.

마음속에서 생긴 관념은 본유관념, 외부에서 생긴 관념은 외래관념이라… 쉽네 뭐.

앞에서 말한 하늘, 사람, 다람쥐, 나무 등과 같은 관념뿐만 아니라

우리들은 외부에서 생긴 외래관념!

신의 관념도 여기에 속하지.

신의 관념도 외래관념이라고?

나머지 하나는 나 자신이 만들어 낸 관념이야.

말하자면 상상 속에 관념들….

예를 들어, 상반신은 사람이고 하반신은 물고기인 인어공주의 관념이나

소설가나 화가들이 주로 쓰는 관념이겠네요?

그렇지.

머리는 사람이고 몸은 사자인 스핑크스의 관념이 그것이지.

음… 저런 게 상상으로 만들어 낸 관념이라는 거지….

우리가 외래관념을 갖고 있다는 것으로부터 외부에 사물이 실제로 존재한다는 것을 추리할 수 있을까?

네.

네?

뭐야? 둘이 같이 들어 놓고선 반응이 왜 이렇게 틀린 거야?

지금까지 한눈 팔지 않고 읽어온 사람은 그럴 수 없다는 걸 금방 알았을 거야.

힝…나도 열심히 들었는데…

마음속에 다람쥐의 관념이 있어도 세계에 다람쥐가 있다고 확신할 수는 없지.

왜… 왜 그렇지?

왜냐하면 세계가 꿈일 수 있는 거니까.

앞에서 다른 선생님이 이야기한 〈매트릭스〉라는 영화에서처럼 말이야.

아… 맞아.

커다란 기계가 우리의 머릿속에 다람쥐의 관념을 집어넣었을 수 있잖아.

외래 관념을 갖고 있다는 것으로부터 외부에 사물이 실제로 존재한다는 것을 추리할 수 없는 또 다른 이유는

마음속의 관념과 외부의 사물이 일치하지 않는 경우가 많기 때문이야.

우리의 마음속에 있는 태양의 관념은 그것이 동전보다 작다고 알려주지만

헤헤

태양은 동전만 하네…?

실제로 태양은 엄청나게 큰 별이야.

뭐? 내가 동전만 하다고?

뻑

그러면 우리는 왜 관념에 해당하는 사물이 외부에 있다고 생각할까?

철수는 다람쥐가 무엇인지 알지도 못했고

다람쥐를 보고 싶어 하지도 않았어.

그런데 어느 날 공원을 산책하던 철수 앞에 불쑥 귀여운 다람쥐가 나타난 거야.

어, 저건 뭐야? 꽤 귀엽게 생겼네.

그래서 철수는 다람쥐의 관념을 갖게 된 거지.

하하하 이리오렴~ 아 거참…

많은 외래관념들이 이렇게 의지와 상관없이 정신 속으로 들어오기 때문에

우리는 관념에 해당하는 사물이 외부에 있다고 자연스레 믿게 된 거야.

하지만 이성의 빛을 비추어 보면 그런 믿음이 의심스럽다는 것은 지금까지의 이야기만으로도 충분히 알 수 있지.

안 그래?

그렇죠, 이 모든 것이 누군가 만들어 놓은 가상의 세계일 수도 있으니까.

그러면 외래관념 중에서 외부에 실제로 존재하고 있는 것을 표상하는 관념이 있는지 조사할 수 있는 방법은 없는 걸까?

물론 있어. 그리고 그것이 신 존재 증명의 핵심이야.

와, 드디어 나오네요, 신 존재의 증명이…?

외래관념은 그 관념의 원인이 되는 대상이 갖는 실재성을 갖고 있지는 않지만

표상, 관념. 실재성

윽! 갑자기 어지러워졌어.

그것을 표상하는데 이를 표상적 실재성이라고 해.

표상이란 본을 받은 대상이란 뜻이지, 표상적 실재성이란 머릿속에 있는 것들을 얘기하는 것이고….

외부의 대상이 갖는 실재성은 현실적 실재성이라고 하고…

현실적 실재성이란 실제로 눈앞에 보여지는 것들을 말하는 거야.

제가 좀 더 쉽게 설명해 볼까요?

어떻게?

이 부분은 백설공주 이야기로 설명해 볼게요.

흠…

백설공주 이야기 알고 있지? 아마도 모르는 사람은 없을 거라고 생각해.

난 모르는데?

자네 시절에 나온 책이 아니니까 그렇지.

자, 이 책의 주인공은 원래 백설공주지만, 오늘의 주인공은?

바로 왕비의 요술 거울이지요.

짜잔!

왕비는 백설 공주에게 독이 든 사과를 주고 궁전으로 돌아와 요술 거울 앞에 서게 되지.

그리고 주문을 외우는 거야.

거울아, 거울아. 이 세상에서 누가 제일 예쁘지?

당근, 백설 공주랍니다.

왕비가 거울 앞에 서 있는데도 왕비가 아닌 백설공주의 모습이 비치다니 이상하죠?

요술거울이니까 당연하지. 하지만 보통 때는 보통 거울이랑 똑같아.

사과를 요술거울 앞에 놓으면 거울은 사과를 비춰.

사과는 거울 밖에 하나 있고, 거울 안에 하나 있지.

물론 거울 안에 있는 사과는 실재하지 않아.

하지만 어떤 의미에서는 실재성을 갖는다고 말할 수 있어.

왜냐하면 거울 밖에 있는 사과의 실재를 반영하기 때문이지.

역시 데카르트야.

다시 말해, 거울 안의 사과는 거울 밖 사과의 모양이나 색깔뿐만 아니라 그것이 존재한다는 것까지도 비추는 거야.

내 설명이 괜찮았어?

제가 다시 이어서 얘기하자면 요술거울은 다른 능력도 갖고 있죠.

아무것도 없이도 스스로 무언가를 비출 수 있다는 것이지.

하려던 얘기가 끝난 건가?

천만에요! 이제 시작이에요, 이제 요술 거울을 정신이라고 가정해 볼게요.

정신!!

자, 그러면 거울에 비친 모습을 뭐라고 하면 좋을까요?

과… 관념?

오! 맞았어, 바로 관념이야! 제법 똑똑한 소릴 하네!

거울 속의 사과는 실재하지는 않지만 실재를 반영한다고 했지?

나는 진짜 사과가 아니야, 내 앞에 사과가 없다면 나도 없는 거지.

마찬가지로 정신 속의 관념도 외부의 대상을 반영하는데

그래서 관념도 표상적 실재성을 가지지.

내가 말하려고 했는데….

다시 말해서 표상은 말 그대로 마음속에 나타난 외부 대상의 모습이라는 뜻이야.

외부의 대상처럼 실재하지는 않지만 그것을 반영하기 때문에 어떤 의미에서는 실재성을 갖는다고 말할 수 있는 거지.

표상적 실재성과 대비되는 말은 현실적 실재성이야. 외부에 실재로 존재하는 대상이 현실적 실재성을 갖는 거지.

한 가지 예를 더 들어주지.

자, 여기 뜨거운 벽돌과 차가운 벽돌이 있다고 하자.

으~추워...

이 둘을 포개 놓았더니 차가운 벽돌이 따뜻해졌어.

아웅~ 따뜻해.

왜 따뜻해 졌을까?

아, 그거야 차가운 벽돌보다 뜨거운 벽돌에 열이 더 많기 때문이지.

맞아. 열을 전해 주는 벽돌에는 열을 전해 받은 벽돌에 있는 것 이상의 열이 있어야 해.

그래야 열을 전해줄 수 있는 거니깐.

그래서?

현실적 실재성과 표상적 실재성의 관계도 이와 마찬가지야.

외부의 사과에는 사과의 관념이 가진 실재성 이상의 실재성이 있어야 해.

원인에는 결과가 가진 것 이상의 실재성이 있어야 결과에 그것을 전해 줄 수 있으니까.

나 말이야. 나는 맛있게 먹을 수 있는 진짜 사과라고!

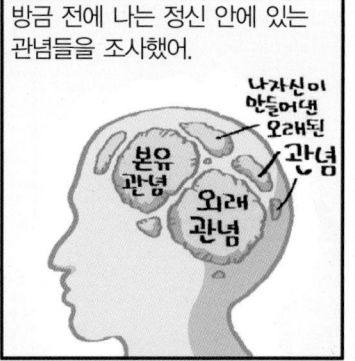

방금 전에 나는 정신 안에 있는 관념들을 조사했어.

나 자신이 만들어낸 관념

본유 관념

외래 관념

어떤 것은 내가 본래부터 갖고 있던 것이었고

아하! 본유관념!

새삼스럽긴..

어떤 것은 외부에서 들어온 것이었고, 어떤 것은 나 자신이 만들어 낸 것이었지.

외부에서 들어온 건 외래 관념이고….

알았다, 알았어!

이렇게 세 종류의 관념 중에서 나 자신으로부터 비롯되지 않았다고 생각할 수 있는 관념은 외부에서 들어 온 관념, 즉 외래관념이었어.

하지만 외래관념조차도 나 자신이 본래부터 갖고 있던 관념들로부터 스스로 만들어 낼 수 있어.

응?

외부에 대상이 존재하지 않아도 충분히 가능해.

어떻게?

예를 들면 말이야….

천사의 관념은 내가 본래부터 갖고 있던 나 자신에 대한 관념으로부터 만들어 낼 수 있어.

천사라고 하는 단어의 이미지로 갖고 있는 관념 말이야. 솔직히 우린 천사를 직접 본 적은 없잖아?

흠…

또 다람쥐의 관념은 내가 본래부터 갖고 있던 물질에 대한 관념으로부터 만들어 낼 수 있지.

물질은 크기를

이만큼~

갖고 있으니까.

이 크기를 이렇게 저렇게 주물럭거리면 어떤 형태가 생기고…

다 만들었다!

주물럭 주물럭

형태는 위치를 차지하고 있으니까 위치를 바꾸면 운동이 생기지.

하하

여기에 수를 더하면 벌써 움직이는 다람쥐 몇 마리가 생겨나잖아.

이렇게 말이야.

이처럼 외래관념은 그 원인이나 자신 이상의 어떤 존재를 필요로 하지 않아.

외부에 대상이 있다면 좀 더 쉽겠지만.

설령 없다고 해도 나 혼자서 만들어 낼 수도 있으니까.

흠... 그렇구나.

이렇게 정신 안에 있는 관념들을 조사하다가 나는 나보다 더 완전한 존재의 관념, 즉 신의 관념을 발견하게 되었어.

앞에서도 말했지만 신의 관념에는 모든 것의 창조자, 무한, 영원, 불변, 전지, 전능, 편재와 같은 것들이 들어 있어.

한 마디로 신의 관념에는 모든 완전성이 포함되어 있지.

그렇다면 나는 이 관념을 어디서 얻었을까.

다른 외래관념들 처럼 나 자신이 스스로 만들어 낸 것일까?

나는 곧 그럴 수 없다는 걸 깨달았어.

신의 관념은 완전한 반면, 나는 유한하고 불완전하기 때문이지.

불완전한 내가 완전한 존재의 관념을 만들어 낼 수는 없어.

완전한 존재의 관념이 불완전한 나로부터 나왔다는 것은, 어떤 것이 무에서 나왔다는 것만큼이나 모순이니까.

난 아니야.

나도 네 엄마가 아니야.

너도 엄마가 있었니?

대체 내 엄마는 누구죠?

따라서 완전한 존재의 관념은 나보다 더 완전한 존재, 즉 신이 내 정신 속에 집어넣은 거야.

완전한 존재의 관념은 결코 의심할 수 없는 외래관념이지.

완전한 존재

외래관념은 표상적 실재성을 갖고 있고, 표상적 실재성은 외부에 있는 현실적 실재성을 반영해.

실재의 사과의 모습이 비춰진 거울 속 사과의 모습처럼.

따라서 이로부터 신은 실제로 존재한다고 결론을 내릴 수 있어.

간단하게 정리해 볼까?

내가 가진 관념들 중에서 나 자신이 원인이 아닌 관념이 있는데

그것은 완전한 존재의 관념, 즉 신의 관념이야.

완전한 존재의 관념은 정신의 외부에 있는 완전한 존재로부터 비롯되었어.

바로 나 '신'이지.

그러므로 완전한 존재의 관념을 정신 속에 넣어 준 완전한 존재… 즉 신이 존재해!

나는 이 장의 처음에서 명석 판명하게 인식된 것이 모두 참이라는 것을 누가 보증하느냐고 물은 적이 있어.

응, 기억 나.

신이 존재한다는 것이 확실해졌으니까 이제 그 질문에 대답할 수 있겠지?

신이 보증 하는 거?

그래. 바로 신이 보증하지. 명석 판명한 것은 반드시 신으로부터 나와.

으…음

신은 완전하기 때문에 신으로부터 나오는 것이 참이라는 것은 결코 의심할 수가 없지.

기특한 것….

그러므로 명석 판명하게 인식된 것은 참이라는 일반 규칙은 확실해졌어.

"명석 판명하게 인식된 것 [참]" 짜 잔

그러니 이제부턴 안심하고 진리를 찾을 수 있을 거야.

좋아, 진리를 찾기 위해 다시 한 번 힘내 보자고!

그런데 자네는 왜 안 들어갔어? 설명할 것도 별로 없는데….

남이 사….

천동설과 지동설(1)

코페르니쿠스
프로이트는 코페르니쿠스에 의해 인간은 우주의 중심에서 변방으로 쫓겨났다고 말했다.

지동설 (=태양중심설, heliocentricism)은 지구가 스스로 회전하면서 태양의 주위를 돈다는 이론이야. 지동설이 옳다고 가정하면 그 당시로는 설명하기 어려운 여러 가지 문제들이 발생할 수밖에 없었지. 지구가 자전한다면 왜 하늘로 똑바로 던져 올린 공이 뒤쪽에 떨어지지 않고 다시 제자리에 떨어질까? 지구가 공전한다면 공전궤도상의 어느 한 지점에서 어떤 별을 관찰하고 그 맞은편의 지점에 다다랐을 때 다시 그 별을 관찰하면 별의 위치가 달라져야 하는데(이런 현상을 '연주시차'라고 해) 왜 그렇지 않은가? 이런 의문들에 답하기에는 당시의 과학수준이나 관측도구가 너무 빈약했어. 반면에 지구는 가만히 있고 별들이 지구의 둘레를 돈다고 하면 모든 것들이 딱딱 잘 들어맞았지. 게다가 아리스토텔레스도 이미 지구가 우주의 중심이라고 했고. 약 2세기경에 프톨레마이오스라는 그리스의 천문학자는 이런 이유들과 자신이 관측한 별의 운동을 근거로 해서 천동설(=지구중심설, geocentricism)을 확립했어. 프톨레마이오스의 천동설은 당시로서는 가장 훌륭한 이론이었고, 그 후로도 약 1천 3백여 년 동안이나 서양세계에서 절대적인 지위를 차지했어. 고대 말부터 서양세계를 지배해 온 가톨릭교회도 프톨레마이오스의 천동설을 공식적인 입장으로 채택했는데, 왜냐하면 천동설이 성경의 말씀과 잘 어울렸기 때문이었어. 성경에는 천동설적 관점이라고 해석될 수 있는 구절이 나와. 게다가 하느님이 그의 형상을 본 떠 만든 인간이 사는 장소인 지구가 우주의 중심이어야 한다는 것은 어찌 보면 너무나 당연했지.

프톨레마이오스
프톨레마이오스의 천동설은 중세까지 서양을 지배한 이념이었다.

천동설은 우리의 경험적 관찰과 가장 잘 어울리는 이론이었어. 천동설에 따르면 우주는 지구를 중심으로 달, 수성, 금성, 태양, 화성, 목성, 토성의 순서로 배열되어 있고, 각각의 천체는 원을 그리며 지구의 둘레를 돌아. 제일 마지막 행성인 토성(그 당시에는 5개의 행성만 알려져 있었거든)의 너머에는 별들이 하늘의 천장에 박혀 있지. 이제 잠깐 밤하늘을 관찰해 볼까? 도

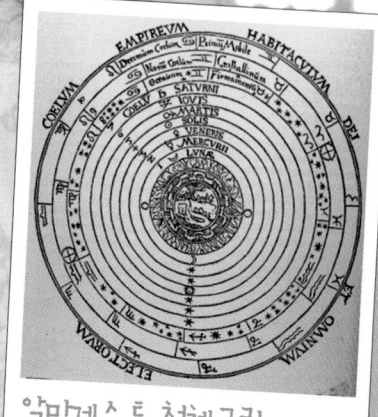

알마게스트 천체그림
프톨레마이오스의
알마게스트 천체 그림

시에 살고 있으면 어렵겠지만 그래도 언젠가 별을 마음껏 볼 수 있을 때 한번 관찰해 보도록 해봐. 밤하늘을 하루 동안 관찰하면 알 수 있는 사실은 해가 지면 별들이 동쪽에서 떠올라서 서쪽으로 진다는 거야. 한 시간에 15도씩 서쪽으로 움직이지. 만약 별들을 일 년 동안 꾸준히 같은 장소에서 관찰해보면 별들이 떠오르는 장소가 매일매일 서쪽으로 약 1도씩 움직인다는 것을 알 수 있을 거야. 막연하게 별들이라고 하면 관찰하기가 힘들 테니까 별들의 모임인 별자리를 관찰해보면 이런 현상을 좀 더 쉽게 알 수 있지. 그렇게 1년 동안 별자리를 관찰해보면 1년 후에는 지난해에 봤던 그 별자리를 그 위치에서 다시 볼 수 있어. 하지만 행성들(수성, 금성, 화성, 목성, 토성)의 움직임은 별의 움직임과는 달라. 별들이 동쪽에서 서쪽으로 움직이는 것과는 달리 행성들은 서쪽에서 동쪽으로 움직여. 고대인들도 이런 사실을 관찰을 통해 잘 알고 있었어. 행성의 움직임에서 특이한 점은 서쪽에서 동쪽으로 움직이다가 일정 기간 동안 갑자기 반대방향, 즉 동쪽에서 서쪽으로 움직인다는 거야. 그러고 나서 다시 처음처럼 서쪽에서 동쪽으로 움직이지. 이런 현상을 화성에서 특히 잘 관찰할 수 있어. 천동설에서 가장 설명하기 어려운 것이 바로 이 행성의 역행현상이야. 프톨레마이오스는 각각의 행성들이 지구를 중심으로 커다란 원(주원)을 그리며 돌면서 그 행성 자체도 자기만의 자그마한 원 궤도(주전원)를 갖고 있다고 주장함으로써 역행현상을 설명했어. 역행현상은 행성의 주전원 상의 진행방향이 주원 상의 원래 진행방향과 반대가 될 때 일어난다는 거지.

제8장 세계의 탄생

나는 철학의 제1원리를 발견했고

나는 생각한다. 그러므로 나는 존재한다.

신이 실제로 존재한다는 것도 증명했어.

신은 완전하기 때문에 신으로부터 나오는 것이 참이라는 것은 결코 의심할 수가 없다.

이 진리들과 함께 물질의 본질을 깊이 생각한 후, 나는 또 몇 개의 자연법칙을 더 알게 되었지.

짜 잔

와 와 와 와

자연법칙이 뭐냐고?

그건 내가 설명할게요. 데카르트.

좋도록 해.

말 그대로 자연을 지배하고 있는 법칙이야.

예를 들어 모든 물체는 서로 끌어당기는 힘을 갖는다고 하는 만유인력의 법칙이 그것이지.

뉴턴?

그래.

만유인력의 법칙이란… 자연을 지배하고 있는 법칙이란,

혁

이곳에서는 적용되다가 저곳에서는 적용되지 않는 그런 것이 아니야.

오! 사과가 땅에 떨어지고 있어.

그럼 하늘을 향해 떨어지겠어? 당연한 말을…?

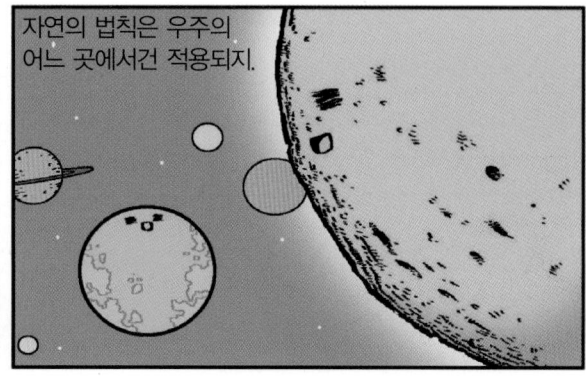

자연의 법칙은 우주의 어느 곳에서건 적용되지.

그리고 자연법칙은 너무도 엄격해서 어떤 것도 절대로 그 법칙을 어길 수 없어.

맞아, 나는 태양의 주위를 언제나 돌고 있지, 하루도 쉴 수가 없어.

이런 자연의 법칙은 바로 신이 만들었어.

앞장에서 존재를 증명한 바로 그 '신' 말이야.

신은 자연법칙을 자연뿐만 아니라 인간의 정신 속에도 새겨 넣었지.

그래서 나는 자연이 아니라…

자연의 법칙을 찾아보자고. 우리 안에서 말이야.

우리 안?

내 정신을 들여다보고 자연법칙을 발견할 수 있었지.

이렇게…?

이렇게…

물질도, 자연법칙도 모두 신이 창조했지만 신이 하신 일은 단지 여기까지야.

…에?

신은 여기까지 하고 나서 손을 씻고 잠을 주무시거나

나의 할 일은 다 끝났어.

또는 멀리 여행을 떠나시거나 해도 전혀 상관없어.

신으로부터 창조된 그 순간부터 세계는 법칙을 따라 스스로 움직이고 변화하기 때문에 신의 손길은 더 이상 필요하지 않거든.

아…!

이 장에서는 물질과 자연법칙, 오직 이 둘만이 합해져서 어떤 결과를 만들어 내는지 보여 주려고 해.

물질과 자연법칙으로만?

신의 개입이 전혀 없어도 태양, 별, 지구, 짐승, 인간의 몸이 만들어질 수 있어.

뭔가 부족한 것 같은데…?

그래, 그 부족한 것이 뭘까?

'정신'이 아닐까요?

물론 그렇게 생각할 수 있지. 하지만 인간의 정신은 물질과는 전혀 다른 것이니까.

인간의 정신이 물질로부터 만들어질 수는 없지.

그래서?

그건 다음 장에서 설명할 거야.

난 지금 듣고 싶은데.

예전에 출판하려다 포기했던 책인 《우주론》에 이런 생각들이 자세히 설명되어 있어.

출판 안 됐으면 우린 모르잖아.

결국 《우주론》은 데카르트가 죽고 14년이 지난 1664년에야 파리에서 출판되었어.

그래, 많은 사람들에게 알려질 수 있겠지.

비록 이 책은 세상에 나오지 못했지만 여기서 간단하게라도 소개한다면…

이 책은 크게 두 부분으로 구성되어 있어. 하나는 '우주론'이고 다른 하나는 '인간론'이야. 첫 장은 '우주론'을, 다음 장은 '인간론'을 요약한 거야.

나는 이 책에서 세계를 구성하는 원소에는 무엇이 있는지….

이 책?

《우주론》을 말하는 거지?

그래!

이 원소들로부터 어떻게 물질이 만들어지고…

원소

그 물질로부터 어떻게 태양, 별, 천공, 지구, 달, 동물과 식물들이 생겨나는지,

밀물과 썰물은 왜 일어나는지 등등…

내가 물질에 관해 알고 있는 모든 것을 말하려고 했어.

이 《우주론》에 모두 담아보려 한 거지.

물론 인간에 대한 설명도 포함되어 있지.

몇 가지는 자세하게, 다른 부분은 간단하게 소개할게.

그러기 전에 우선 내 이야기는 우리들이 살고 있는 이 세계에 관한 이야기가 아니라는 점을 말하고 싶어.

현실이 아닌 상상의 세계에 대한 이야기야.

와와 와

쯧, 좀 진지해져 봐.

재밌겠다.

즉 우리의 세계와는 전혀 상관없는 상상의 공간에 신이 물질을 창조하고 자연법칙을 부여했을 때 일어나는 일들에 관한 이야기야.

뭐야? 앞에서 한 얘길 왜 또 하는 거야?

다 이유가 있지.

데카르트는 분명 우리들이 살고 있는 이 세계에 관해 말하고 싶어 했어.

그렇지.

응? 그런데 자신의 이야기가 상상의 세계에서 일어나는 이야기라고 하는 거잖아. 이상해.

응, 이상하지.

데카르트가 이렇게 말한 것은 그가 사는 시대적 배경 때문이야.

설명 부탁해.

물론이죠!

중세 시대에는 세계가 무한한 것이 아니라 유한하다고 생각했어.

다시 말해 세계에는 끝이 있다고 생각한 거지.

저기가 세계의 끝이란다. 더 가게 되면 알 수 없는 곳으로 떨어져 버리는 거야.

그 시대의 사람들은 우주의 중심에는 지구가 있고

그 주위를 태양과 다른 행성들이 돌고 있다고 믿었어.

나 주인공….

반짝이는 별들은 태양계의 제일 바깥쪽에 있는 하늘에 수정처럼 박혀 있다고 생각했고

저게 뭐야—!?

하하하 하하

거기가 세계의 끝이고 그 너머에는 신이 있다고 생각했지.

신요…

하아하 하하하 아이고 배야!

이런 생각들은 고대 그리스의 철학자인 아리스토텔레스와

아리스토텔레스?

하하하 하 흠…

천문학자인 프톨레마이오스의 주장을 그대로 이어받은 거야.

쟤 왜 저래?

신경 꺼.

프톨레 마이오스

하지만 데카르트는 지구가 태양의 둘레를 돈다는 지동설에 동의했으며

지구는 태양의 둘레를 돈다고 생각해.

뭐라고?

중얼 중얼

세계는 무한하다고 생각하고 있었지.

세계는 우리가 상상할 수 없을 만큼 크고 방대하지.

저 친구 지금 우리랑 노는 거야…

데카르트는 갈릴레이가 지동설을 주장했다가 로마교황청에 의해 유죄판결을 받았다는 것을 알고 있었고

나도 말하고 싶어. 하지만 말할 수 있는 분위기가 아냐!

바둥 바둥

또 그 때문에 《우주론》을 출판하지 않기로 했다는 건 잘 알 거야.

데카르트는 세계가 무한하다고 믿었고

또 그것에 근거해서 세계를 설명하고 싶어 했는데

저 끝에도 역시 우리와 비슷한 세계가 이어져 있을 거야.

그렇게 하면 교회와 스콜라 학자들의 비난을 받을 게 뻔했거든.

잘못하면 갈릴레이처럼 교황청에 불려갈 수도 있고 말이야.

그래서 내가 이야기하는 세계는 상상의 세계라고 둘러댄 거야.

소심해…

뭐라고? 소심?

무슨 소리야? 그 시대에는 누구라도 다 그랬어.

왜?

진실을 이야기하기 위해서는 아주 커다란 용기가 필요한 법이라고.

용기가 없었던 거 맞네 뭐.

으… 음.

그럼 물질부터 이야기해 보자.

물질을 구성하는 원소는 3가지가 있어.

그중 하나는 에테르야.

이것은 공기와 비슷하지.

하지만 에테르는 공기보다 더 작은 입자로 이루어져 있어.

헤헤… 내가 더 가볍지!

입자 하나하나의 모양은 둥글어.

하늘은 에테르로 채워져 있지.

여기서의 '하늘'은 지구의 하늘뿐만 아니라 우주 공간까지 가리키는 말이야.

다른 하나는 '불'이야.

음… 에테르와 불이라고?

이 원소는 세 원소 중에서 가장 작은 입자로 이루어져 있어.

불은 에테르의 입자보다도 훨씬 작지.

그리고 불의 원소는 가장 빠르게 운동해.

이 원소의 입자는 아주 작기는 해도 크기를 갖고 있는데, 그것이 얼마만큼 크고 또 어떤 모양인지는 말할 수 없어.

왜?

들어봐.

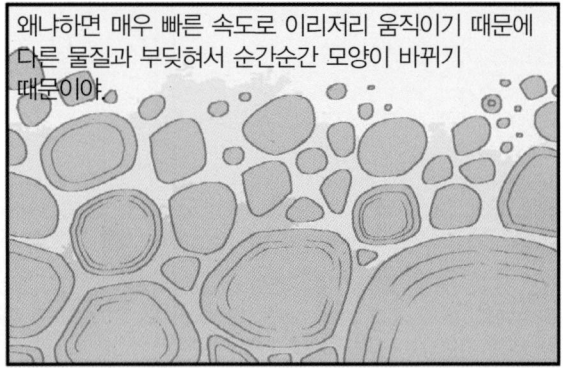

왜냐하면 매우 빠른 속도로 이리저리 움직이기 때문에 다른 물질과 부딪혀서 순간순간 모양이 바뀌기 때문이야.

나머지 하나는 흙이야.

흙의 입자는 세 원소 중에서 가장 크고 가장 느려.

보통 덩어리져 존재하고 다른 물질의 운동을 방해하지.

덩어리진 흙이라고? 뭐 다 덩어리져 있네.

흙 원소를 우리가 주변에서 보는 흙이라고 생각하면 좀 곤란해.

뭐야? 진작 말하지.

우리 주변에 있는 흙은 순수하게 흙의 원소로만 이루어진 것이 아니야.

내 안에 이것저것 다 있다.

그 안에는 불의 원소와 에테르의 원소가 섞여 있거든.

내가 원소를 설명하면서 차가움과 따뜻함, 습함과 건조함과 같은 성질을 사용하지 않는다는 것을 이상하게 여기는 사람도 있을 거야.

다음 페이지에도 나오지만, 데카르트는 원소 입자의 크기, 모양, 운동만을 사용해 물질을 설명하거든.

그래, 맞아.

에테르 · 불 · 흙

단지 입자의 크기와 모양, 그리고 운동만을 사용해 물질을 완전하게 설명할 수 있어.

따뜻함이나 차가움 같은 것이 아닌 입자의 크기나 모양, 운동만으로 물질을 설명해 보지.

세계에는 이 세 가지 원소 이외에 다른 원소는 없어.

이 세 개의 원소들로부터 모든 물체가 생겨나지.

차가움과 따뜻함, 습함과 건조함과 같은 성질을 사용해 원소를 설명한 철학자는 바로 아리스토텔레스야.

난 크기나 모양 운동만으로 원소들을 설명하고….

난 차가움 따뜻함, 습함과 건조함으로 원소를 설명해.

아리스토텔레스는 4가지 원소가 있다고 주장했어.

흙, 물, 공기, 불이 그거야.

물 하나가 더 추가네?

그는 흙은 차고 마른 성질을 갖고 있고

흙은 차고 마른 성질을 갖고 있군.

물은 차고 습한 성질을,

음… 물은 차고 습해….

별로 새삼스럽지 않은 사실인데.

공기는 뜨겁고 습한 성질, 불은 뜨겁고 마른 성질을 갖고 있다고 생각했지.

그건 뭐 데카르트의 생각과 똑같네.

물질은 이들 4원소의 조합으로 이루어지고

거기! 왜 자꾸 구시렁 거리는 거야?

나 아무 말도 안 했는데…?

데카르트가 아리스토텔레스의 이런 생각을 거부한 이유는…

차가움과 따뜻함, 습함과 건조함은 설명이 필요한 성질이기 때문이야.

설명해 주면 되는 거잖아?

으이그…

설명이 필요한 것을 사용해 다른 것을 설명하는 것을 데카르트는 못마땅하게 생각했어.

그게 뭐 어때서?

데카르트는 조금도 의심할 수 없이 명백하게 참이라고 알 수 있는 것으로부터 다른 진리를 연역해 내고 싶어 해.

아항—

말하자면 군더더기가 붙는 식의 설명은 좋아하지 않는다는 거잖아. 역시 데카르트다워.

그거… 칭찬 맞지…?

그래. 그런데 차가움이나 건조함 같은 것은 명백하게 참이라고 알 수 있는 것이 아니야.

그렇지, 사람과 상황에 따라 다르게 느끼니까.

따라서 그것들이 무엇인지 알기 위해서는 또 다른 설명이 필요하지.

으… 추워.

춥긴 도대체 뭐가 추워?

반면에 데카르트가 설명에 사용한 크기나 형태, 운동 같은 성질은…

구구절절 설명이 필요 없는 것이지.

명백하게 참이라고 알 수 있는 성질들이야.

크기라는 건 어차피 갖고 있어야 하는 것이고….

작거나 큰 건?

물질의 본성이 크기라는 것은 조금도 의심할 여지가 없는 명석 판명한 참이야.

차분히 들어봐. 네가 질문하는 것에 대한 대답도 곧 얻을 테니….

이것은 앞에서 여러 번 이야기된 적이 있어.

기억이 안 난다면 앞 장을 다시 한번 읽어보는 것도 도움이 되겠지?

크기를 가진 것은 반드시 형태(모양)를 가져야 한다는 것도 명백한 참이야.

나 좀 똑똑 해진거 같아…크크

그렇지, 모양이라는 게 있어야 크기도 있는 것일 테니까.

설령 그 모양이 정해져 있지는 않다고 하더라도 반드시 어떤 모양인가는 가져야 하니까.

아항~ 그렇다면 작거나 크거나 하는 것은 상관이 없다는 얘기네?

그렇지.

또 크기를 갖는다는 것은 공간을 차지하고 있다는 뜻이니까.

나는 공간이 좀 넓어야 해.

다이어트 좀 해라. 난 충분하다고.

운동은 공간에서의 위치 변화로 설명될 수 있어.

이렇게 운동은 물질의 본성으로부터 연역되고

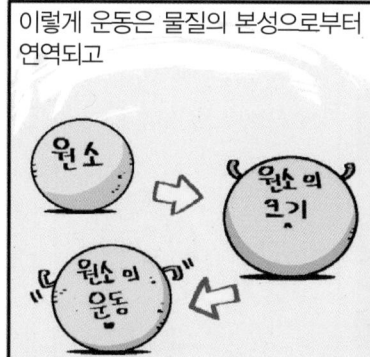

따라서 마찬가지로 명백한 참이야.

운동을 설명하기 위해 다른 불명확한 것은 아무 것도 필요하지 않지.

데카르트의 《우주론》은 아리스토텔레스의 《자연학》과 구성이 매우 비슷해.

다루고 있는 대상도 거의 유사하고

중세 시대에 아리스토텔레스의 《자연학》은 거의 절대적인 지위를 차지하고 있었는데

데카르트는 아리스토텔레스의 《자연학》을 밀어내고

대신 '자신의 자연학' 이 그 자리를 차지하도록 하려는 큰 꿈을 갖고 있었어.

과연 그의 꿈이 이루어졌을까?

이루어졌어.

와! 축하해! 정말 멋져, 멋져!

고마워.

물론 그렇다고 오늘날의 사람들이 세계가 불, 에테르, 흙으로 이루어져 있다고 믿는다는 뜻은 아니야.

응? 무슨 말이야?

멈칫

데카르트의 합리적, 기계론적 사고방식이 세계를 지배하고 있다는 뜻이지.

그럼, 이것도 대단한 거지?

당연하지! 데카르트가 살았던 시대와 우리가 살고 있는 시대를 생각해 봐!

그래, 뭐 대단한 것도 같아.

신이 어딘가 상상의 세계에 이 세 가지의 원소와 자연법칙을 창조했다고 해 보자.

뭘 또 상상하라는 거야?

들어 봐!

창조된 그 순간부터 세 원소들은 자연법칙에 따라 운동해.

불

흙

에테르

얼마의 시간이 흐르고 나서

그 세계를 들여다보면 우리는 물체가 생겨나 있는 것을 볼 수 있어.

제일 먼저 눈에 띄는 것은 밝게 빛나는 태양과 항성이야.

우와! 태양이 생겼어!

그리고 태양의 주위를 찾아보면 지구와 같은 행성, 달, 혜성을 발견할 수 있지.

방법서설

나는 실제의 세계가 아니라 상상의 세계 어딘가에서 일어나는 일을 이야기하고 있으니까.

여기서의 지구를 실제의 지구라고 생각하지 않기를 바랄게.

그러지 뭐.

끄덕

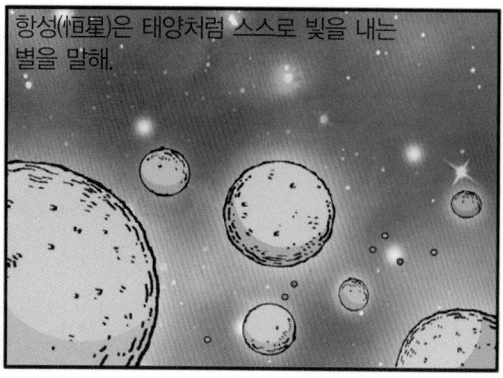

항성(恒星)은 태양처럼 스스로 빛을 내는 별을 말해.

태양도 항성이야.

나도 알아.

우리가 하늘에서 볼 수 있는 반짝거리는 별들은 모두 항성이야.

별들이 반짝거려.

정말 이쁘다.

행성(行星)은 지구나 수성, 금성, 화성처럼 스스로 빛을 내지 못하지.

말하자면 태양의 둘레를 도는 것들을 가리켜.

그리고 마지막으로 항성과 행성들 사이의 공간을 채우고 있는 에테르를 발견할 수 있어.

휘잉

에테르

태양과 항성은 불의 원소들이 모인 것이고

우린 불의 원소들이 모여 만들어졌다는군.

행성과 혜성은 흙의 원소들이

우린 흙!

그래서 빛이 안 나.

우주 공간은 에테르의 원소들이 모인 거야.

이런 이야긴 반복해도 괜찮아. 잊어 먹지 않을 거 아니야?

아까도 한 얘기야.

지구는 흙의 원소들이 모여 만들어졌는데…

그렇다고 지구에 존재하는 모든 물체가 흙으로 이루어졌다는 건 아냐.

말이 틀리 잖아

지구에 존재하는 물체는 흙과 에테르가 섞여서 만들어진 거야.

왜지?

에테르가 지구를 둘러싸고 있기 때문이지.

우린 지구를 에워싸고 있단다.

또 에테르에는 그보다 작은 불의 원소들이 섞여 있기 때문에 결국 지구상의 물체들은 이 세 원소들이 혼합된 거라고 할 수 있어.

우리 속에는 작은 불의 원소들도 섞여 있어. 결국 흙의 원소로 만들어진 지구와 함께 혼합이 될 수밖에 없지.

제1법칙

물질의 입자는 다른 입자와 충돌하지 않는다면 항상 똑같은 상태를 유지한다.

입자는 다른 입자와 충돌하지 않는 한 결코 크기와 모양이 바뀌지 않아.

비켜! 난 모양이 바뀌기 싫어!

입자가 한 장소에 멈추어 있다면 다른 입자와 충돌하지 않는 한…

결코 움직이지 않고,

나 역시 움직이고 싶지 않으니까 건들지 말아줘.

움직이고 있는 입자라면 다른 입자와 충돌하지 않는 한…

결코 멈추지 않지.

이 규칙은 뉴턴이 발견한 관성의 법칙과 거의 비슷해.

흠… 내가 발견한 관성의 법칙과 비슷하군.

뭐 비슷하긴 하지만, 살짝 다른 점이 있어.

당연히 달라야지! 그런데 살짝 다른 점? 그건 뭐지?

관성의 법칙이 물체의 운동에 관해서만 이야기하는 반면

그래! 관성의 법칙은 물체의 운동에 관한 얘기야. 그게 뭐 어때서?

진정 하세요.

데카르트의 제1규칙은 운동뿐만 아니라 크기나 모양에 대해서도 이야기하고 있다는 점이야.

맞아, 데카르트는 모양이 있어서 크기가 있는 것이고 그래서 운동이 생기는 거라고 했잖아. 그럼 데카르트가 더 깊이 들어간 거네?

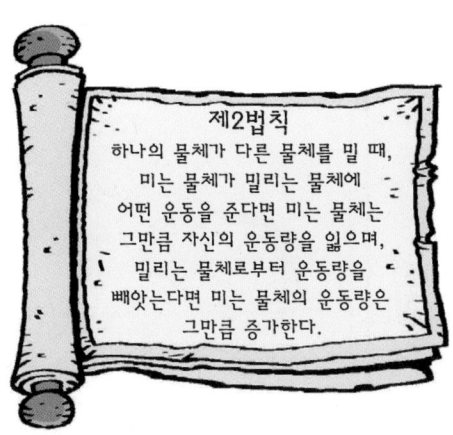

제2법칙

하나의 물체가 다른 물체를 밀 때, 미는 물체가 밀리는 물체에 어떤 운동을 준다면 미는 물체는 그만큼 자신의 운동량을 잃으며, 밀리는 물체로부터 운동량을 빼앗는다면 미는 물체의 운동량은 그만큼 증가한다.

이것은 운동량 보존 법칙이야.

물체들이 서로 부딪힐 때 각 물체의 운동량은 변하지만 물체들의 운동량을 모두 합한 총 운동량은 항상 같다는 법칙이지.

맞았어.

제2법칙도 마찬가지로 신의 불변성으로부터 연역한 법칙이야.

신은 불변해!

신이 물질을 창조한 최초 순간의 총 운동량이 시간이 지난다고 해서 변한다면…

그렇다면 신의 불변성으로부터 연역한 법칙이 아니겠지.

오! 제법이군.

그래, 분명 신의 불변성에 어긋나지.

신의 불변성을 믿는다면 제1법칙과 제2법칙을 인정하지 않을 수 없는 거야.

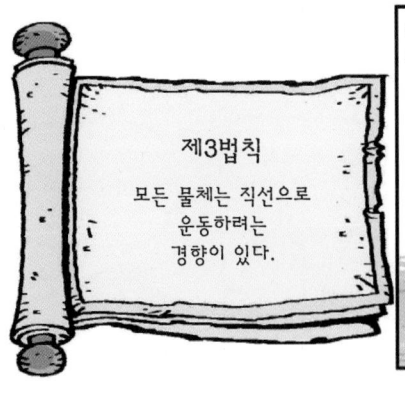

제3법칙

모든 물체는 직선으로 운동하려는 경향이 있다.

속박을 받지 않을 경우 모든 물체는 직선으로 운동하려고 해.

툭 투둑

예를 들어줘….

안 그래도 그러려구.

예를 들어 실의 끝에 추를 매달아 돌리면 추는 원운동을 해.

이… 이렇게?

뿅 뿅

실에 의해 속박되기 때문이지.

이봐, 진정해.

뿅 뿅 아싸

하지만 실이 끊어져 속박에서 벗어나면 추는 직선으로 날아가.

퉁

왜냐하면 직선운동은 모든 운동 중에서 가장 간단하기 때문이야.

진짜 직선으로 날아가네?

다칠 뻔 했잖아.

물질이 모이고 배치가 다양해지면서

원운동이나 불규칙한 운동이 생겨났어.

제1법칙과 제2법칙은 고전역학의 기초가 되는 법칙들이야.

잘 들어봐, 있잖아….

자신의 주장과는 달리 데카르트는 법칙들을 순수하게 신으로부터의 연역을 통해 이끌어 낸 것 같지는 않아.

그건 또 무슨 말이야?

놀라긴… 계속 들어보라고.

그는 과학에서 실험이 중요하다는 것을 잘 알고 있었어.

과학은 말만으로 설명되는 게 아니지….

그러니까 데카르트가 말한 제1법칙과 제2법칙들도 순수한 연역이 아니라….

순수하지 않다고?

관찰을 통해 얻은 자료를 검토해서 이끌어낸 것이라고 보는 것이 옳을 것 같아.

관찰을 통해서 얻어 낸 자료라고?

한 말 자꾸 반복하지 마셔.

그는 다만 이 법칙들이 참이라는 것을

이 법칙은 참이야, 하지만 말만으로는 보증 받을 수가 없어.

그래서 신의 속성을 통해 보증받으려고 한 거지.

그래! 신은 완전하니까.

데카르트는 정말 신의 존재를 완벽하게 믿는군.

그의 법칙들은 신의 존재가 없다면 결코 존재할 수 없으니 당연하지.

신이 수없이 많은 세계를 만든다 해도, 그 세계들에서 반드시 이 자연법칙이 존재할 거야.

왜냐하면 그것들은 신의 속성에서 반드시 따라 나오는 것이니까.

그리고 나는 신이 창조의 기적을 마친 후에는 더 이상 어떤 기적도 행할 필요가 없다고 생각해.

왜냐하면 신이 개입하지 않아도 세계는 신이 만들어 놓은 자연법칙에 따라 움직여서

우리가 지금 보고 있는 세계와 같은 모습이 될 테니까.

또 정신은 물질세계에서 일어나는 일을 방해하지 못해.

그거야 상상 속의 이야기고.

텔레파시라는 것도 있잖아?

왜냐하면 정신과 물질은 전혀 다른 것이어서 서로 아무런 영향을 끼칠 수 없기 때문이지.

난 신의 완전함을 믿는 것처럼 정신과 물질은 전혀 다른 것이라고 생각해.

세 가지 원소들과 자연법칙에 의해 태양, 지구, 달, 우주공간 등이 생겨났다는 것과

불

에테르

흙

무게, 밀물과 썰물, 빛과 불에 대해 설명한 후

우리 주위에 있는 이 모든 것들도 세 가지 원소들과 자연법칙에 의해 만들어진 거지.

나는 무생물, 식물, 동물, 인간에 대한 설명으로 나아갔어.

그리고 이런 동물까지도 만들어진 거야.

하지만 인간의 육체와 정신은 전혀 서로 다른 실체로 이루어져 있어.

그러니까 서로에게 아무런 영향을 줄 수가 없는 거지.

육체는 물질이고 따라서 자연 법칙을 따르지.

불
흙
물
에테르

다시 말해서 세계의 모든 물체들은 자연법칙에 따라 만들어졌고

그것에 따라 움직여. 식물이나 동물도 마찬가지고….

인간도…

그래… 인간의 육체도 마찬가지지.

하지만 말이야… 고백할 것이 있어.

《우주론》을 쓸 당시 나는 동물이나 인간에 대한 지식이 그다지 많지 않았기 때문에

으… 음.

태양이나 지구와 같은 것들이 생겨나는 방식을 설명했던 것처럼

세 가지의 원소와 자연 법칙에 의해 태양과 지구, 행성들이 생겨나고….

인간이나 동물이 생겨나는 방식을 자세하게 설명할 수가 없었어.

이… 인간이나 동물은….

저런 모습 처음인 것 같지 않아?

그래서 어쩔 수 없이 신의 도움을 받을 수밖에 없었지.

오!
신이시여….

불완전한 우리를 도와주세요!

나는 상상의 세계에서 신이 우리와 똑같은 모습을 가진 인간을 만들었다고 가정하기로 했어.

그 세계의 인간은 팔과 다리, 겉모습뿐만 아니라

심장과 폐 같은 내부의 기관들까지도 우리와 똑같아.

으, 징그러워.

너한테도 있어.

신은 육체를 다 만든 다음 심장에 불을 붙였지.

파

으, 깜짝이야!

앞에서 말했던 3원소 중에 하나인 바로 그 불이야.

3원소라면 에테르와 흙과 불을 말하는 거야?

맞아.

그러자 심장이 뛰고…

육체가 작동하기 시작했지.

그 육체는 아직 영혼이 들어 있지 않다는 점만 빼고는…

우리들의 모습과 기능에서 하나도 다르지 않았어.

하지만 영혼이 들어 있지 않은 육체는

어쩐지 소름 돋아.

나 역시…

잘 만들어진 기계와 전혀 다를 것이 없어.

기계보단 인형들이 살아 움직이는 것 같아서 기분 나빠.

씨익

쭈뻑 쭈뻑

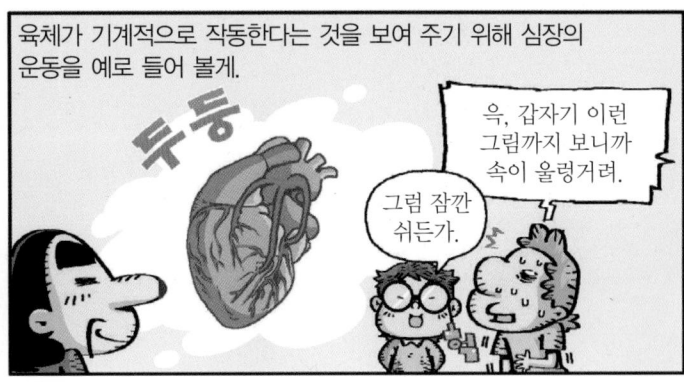

육체가 기계적으로 작동한다는 것을 보여 주기 위해 심장의 운동을 예로 들어 볼게.

두둥

윽, 갑자기 이런 그림까지 보니까 속이 울렁거려.

그럼 잠깐 쉬든가.

무슨 소리야, 8장 마무리까지 내 자리는 지켜낼 거야.

지금이 8장 마무리거든.

이제 9장에선 심장의 운동에는 단지 기계적인 과정만이 필요하다는 것을 알게 될 거야.

음… 말하자면 심장의 운동에 사람의 정신은 필요하지 않다는 말이잖아?

응.

갈수록 똑똑해지고 있어. 축하해.

그거 칭찬 아니지?

눈치도 빨라졌네.

천동설과 지동설(②)

폴란드의 천문학자인 코페르니쿠스(1473~1543)는 연구를 하면 할수록 프톨레마이오스의 설명이 만족스럽지 못하다는 것을 알게 됐어. 프톨레마이오스의 이론을 사용하면 행성의 운동을 계산하는 것이 너무 복잡해져 버렸거든. 코페르니쿠스는 고대 그리스에서 지동설이 주장된 적이 있다는 것을 알고 있었는데, 설마하면서 지동설이 옳다고 가정해 봤어. 그랬더니 행성의 운동이 너무 쉽게 설명이 되는 거야. 코페르니쿠스는 지구의 자전과 공전, 천체의 위치 계산, 각 행성들의 운동 등을 수학적으로 정리해서 죽기 직전에 《천체의 회전에 관하여》(1543)라는 책을 펴냈지. 코페르니쿠스는 갈릴레이(1564~1642)에 비하면 행복한 사람이었지. 갈릴레이는 지동설을 주장했다는 이유로 1633년부터 죽을 때까지 10여 년 동안을 집안에서 갇혀 지내야만 했거든. 갈릴레이가 처음부터 천동설을 주장한 것은 아니었어. 1609년에 네덜란드에서 망원경이 최초로 발명되었는데, 갈릴레이는 이 소식을 듣고 스스로 망원경을 만들어 그것으로 하늘을 관측했어. 망원경을 통해 하늘을 관측하면서 갈릴레이는 점차 지동설이 옳다는 확신을 갖게 됐고, 그 확신을 책으로 펴내면서 결국 이단심문까지 받게 된 거야.

갈릴레이 갈릴레오

하지만 코페르니쿠스나 갈릴레이의 지동설도 완벽한 것은 아니었어. 그들은 여전히 행성들이 원운동을 한다고 생각했거든. 행성들이 태양의 주위를 원이 아니라 타원을 그리며 돈다는 것을 밝혀낸 사람은 독일의 천문학자인 케플러(1571~1630)야. 그는 스승인 티코 브라헤(1546~1601)가 남겨준 정밀한 화성 관측 자료를 바탕으로 연구를 거듭해 행성운동에 관한 법칙 세 개를 발견했어. 그 중 첫 번째가 바로 행성의 공전궤도가 원이 아니라 타원이라는 '타원궤도의 법칙'이야.

요하네스 케플러

타원에는 초점이 두 개가 있는데, 그 중 한 초점에 태양이 자리 잡고 있지. 행성과 태양을 잇는 직선을 긋고, 그 직선을 궤도의 반대편까지 쭉 연장해 봐. 그리고 태양을 중심으로 그 직선을 조금 회전시키면 두 개의 부채꼴이 생기지? 행성운동의 제2법칙은 그 두 개의 부채꼴의 면적이 같다는 거야. 이것은 행성이 태양에 가까운 쪽의 궤도에서는 빨리 지나가고 먼 궤도에서는 천천히 지나간다는 것을 의미해. 제1법칙과 제2법칙으로 인해서 아리스토텔레스 이래로 변함없이 믿어 왔던 행성의 등속 원운동의 신화가 깨져버렸어. 제3법칙은 행성의 공전주기의 제곱이 공전궤도의 평균 반지름의 세제곱에 비례한다는 법칙이야. 이 법칙은 간단하게 말하자면 태양으로부터 멀리 있는 행성일수록 공전주기가 길어진다는 것인데, 그 비율을 수학적으로 계산해 냈다는 것이 중요해. 케플러가 발견한 행성운동에 관한 세 가지 법칙은 이후 뉴턴(1642~1727)이 만유인력의 법칙을 이끌어내는 데 중요한 수학적 기반을 제공해 주게 돼. 근대의 물리학이 뉴턴에서부터 시작된다는 점을 생각하면 지동설이 과학의 역사에서 얼마나 중요한 역할을 했는지 잘 알 수 있지.

제9장 인간에 대하여

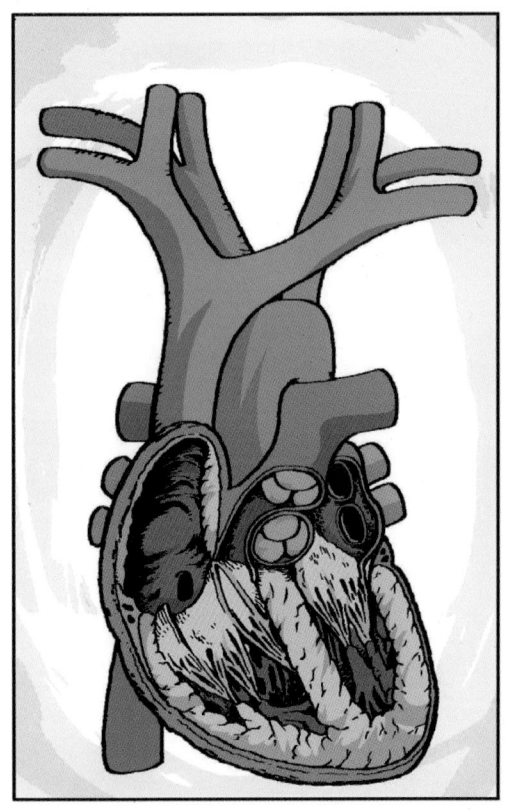

8장에서 말한 것처럼 심장의 운동에는 기계적인 과정만이 필요해.

이 그림을 잘 보도록 해 봐.

기계적인 과정? 살아 있는 사람의 심장을 그렇게 표현하다니, 좀 낯설다….

좀 그로울지

《방법서설》이 나오기 전인 1628년 영국의 의사인 윌리엄 하비*가 이미 《동물의 심장과 혈액의 운동에 관하여》라는 책을 출판했어.

윌리엄 하비

동물의 심장과 혈액의 운동에 관하여

*윌리엄 하비 − 1578~1659. 심장·혈관을 연구한 영국의 의학자·생리학자

이 책에는 심장의 구조와 기능.

그리고 혈액의 순환이 자세하게 설명되어 있지.

혈액의 순환이라고?

데카르트는 윌리엄 하비에 대해 잘 알고 있었고

이 책을 읽었을 가능성도 매우 높아.

뭐야, 확실하게 읽었다는 얘기가 아니잖아.

옛날 일이잖아, 우리는 결과를 보고 추정할 수밖에 없는 거라고.

《방법서설》에서도 그는 윌리엄 하비가 혈액의 순환에 대하여 잘 설명하고 있다고 인용했으니까.

봐! 윌리엄 하비에 대해 말하고 있잖아. 그러니까 데카르트가 그의 책을 읽었다고 볼 수 있는 거지.

알았어, 왜 화를 내?

그 당시 사람들은 윌리엄 하비의 책이 나오기 전까진 혈액이 온 몸을 순환한다는 것을 몰랐어.

혈액의 순환?

그게 뭔데…?

오… 이럴 수가!

심장은 네 개의 방으로 이루어져 있어.

어디? 어디?

심장의 오른편에 있는 우심방과 우심실에는 아주 큰 관이 각각 하나씩 연결되어 있어.

난 해부용 모델이 되고 싶지 않다구….

하나는 대정맥인데…

온몸의 정맥들에서 온 피가 여기서 합해져서 우심방으로 들어가.

또 다른 하나는 폐동맥인데

폐동맥

이것은 우심실에서 나와서 폐로 이어지지.

으음...

갑자기 의학 공부를 하네.

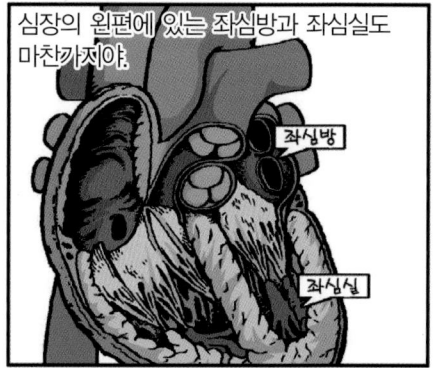

심장의 왼편에 있는 좌심방과 좌심실도 마찬가지야.

좌심방

좌심실

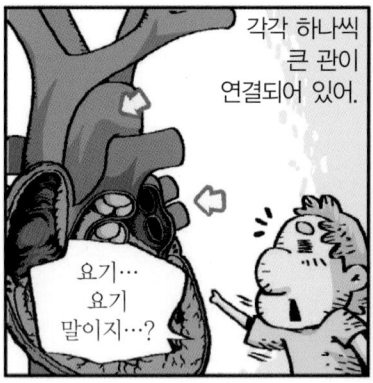

각각 하나씩 큰 관이 연결되어 있어.

요기... 요기 말이지...?

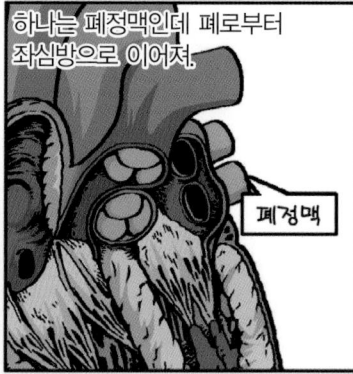

하나는 폐정맥인데 폐로부터 좌심방으로 이어져.

폐정맥

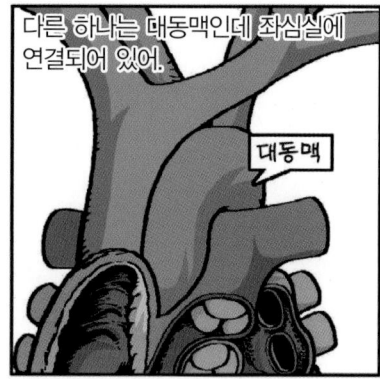

다른 하나는 대동맥인데 좌심실에 연결되어 있어.

대동맥

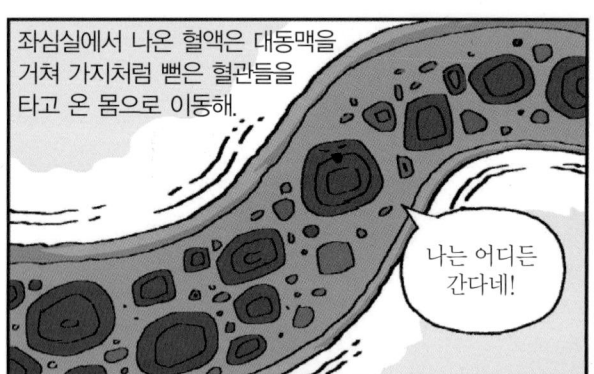

좌심실에서 나온 혈액은 대동맥을 거쳐 가지처럼 뻗은 혈관들을 타고 온 몸으로 이동해.

나는 어디든 간다네!

심장의 네 방에는 모두 열한 개의 판막이 있어.

그중 세 판막은 우심방에 있어.

삼첨판*을 말하는 거야.

*삼첨판 – 우심방과 우심실 사이의 판막. 앞뒤 안쪽의 세 판으로 이루어져 있는데 우심방의 정맥혈을 우심실로 흘러 들어가게 하며 피가 거꾸로 흐르는 것을 막는다.

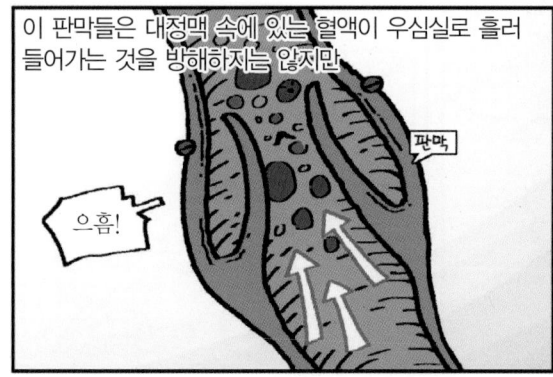

이 판막들은 대정맥 속에 있는 혈액이 우심실로 흘러 들어가는 것을 방해하지는 않지만

판막

으흠!

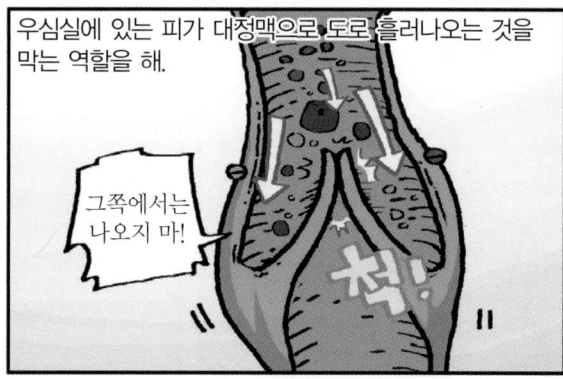

우심실에 있는 피가 대정맥으로 도로 흘러나오는 것을 막는 역할을 해.

그쪽에서는 나오지 마!

척!

182 방법서설

우심실과 폐동맥이 이어지는 부분에도 세 개의 판막이 있어.

폐동맥 판막을 말하는 거야.

으음….

이것들은 앞의 것들과 반대로 붙어 있어서

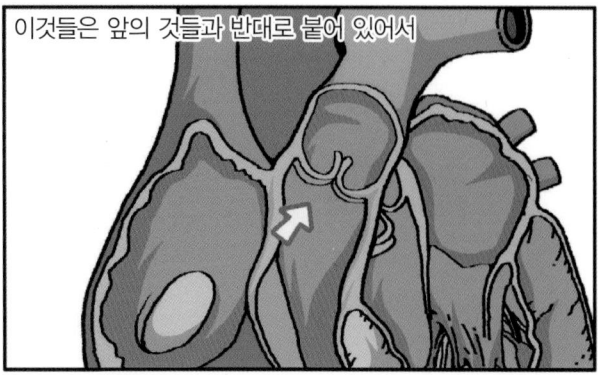

우심실에 있는 혈액이 폐로 들어가는 것을 막지 않지만

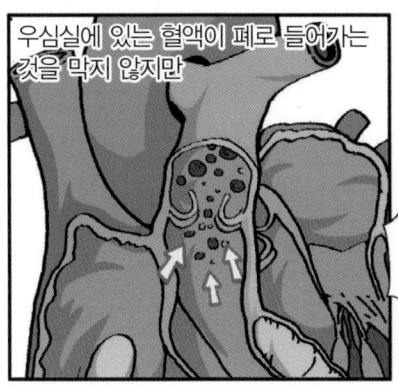

폐 속에 있는 혈액이 다시 우심실로 돌아오지 못 하게 하지.

이젠 못 들어와!

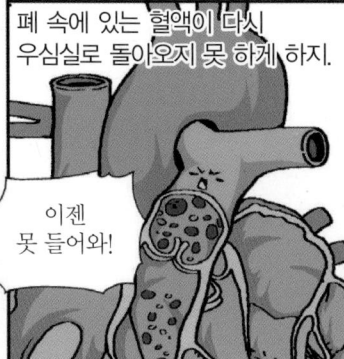

재밌군. 몸의 내부도 무섭기만 한 건 아니네?

폐정맥이 좌심방으로 이어지는 부분에는 두 개의 판막이 있어.

승모판을 말하지.

승모판?

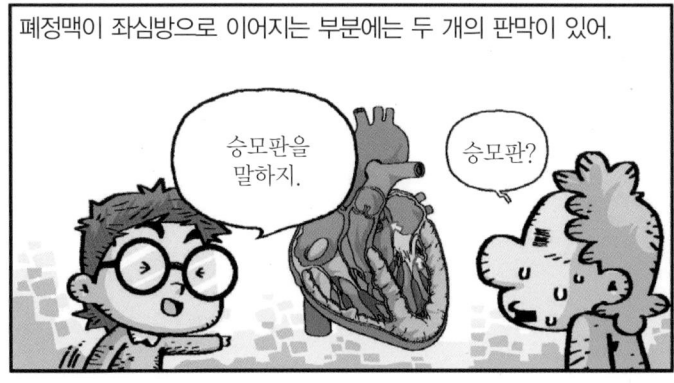

이 판막들은 폐의 혈액이 좌심실로 흘러 들어가는 것을 막지 않고

판막

판막

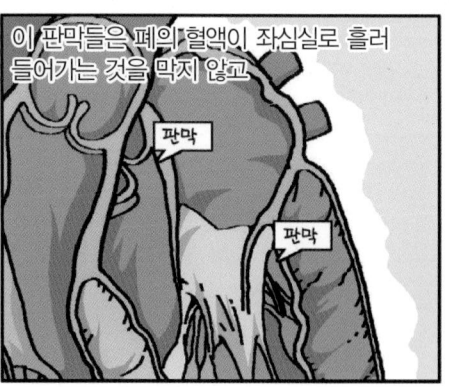

좌심실에서 폐로 되돌아 나가는 것을 막아.

어허~ 어딜 되돌아가?

나머지 세 개의 판막은 좌심실과 대동맥이 이어지는 부분에 있어.

바로 우리야.

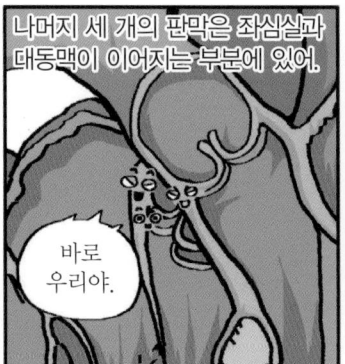

이것들은 좌심실에서 나와 혈액이 거꾸로 되돌아 나오지 못하도록 막지.

어허! 나오지 말라니깐.

혈액이 대정맥-우심방-우심실-폐동맥-폐-폐정맥-좌심방-
좌심실-대동맥의 순서로 이동할 수밖에 없는 이유는 바로 심장의
구조가 그렇기 때문이야.

이젠 심장에 대해서도 웬만큼 알 수 있겠지?

그렇군.

내 얘기도 좀 들어 줄래? 이 책 제목은 《방법서설》이거든.

신이 심장에 불을 집어 넣었기 때문에

오~ 살살해 주세요.

심장에는 언제나 몸의 다른 부분보다 많은 열이 있지.

정말?

더 들어봐.

따라서 피가 좌우심실로 들어가면 그 열로 인해 증기처럼 팽창하고

따라서 심실도 즉시 부풀어 오르지.

뜨겁게 달아 오른 그릇에 물을 부었을 때와 마찬가지야.

깜짝이야!

저런 말을 들으니까 갑자기 심장이 터질 것 같아.

장난 좀 치지 마.

심장의 심실, 즉 우심실과 좌심실에 피가 차 있지 않을 때는 대정맥에서 우심실로 폐정맥에서 좌심방을 거쳐 좌심실로 피가 흘러 들어가.

폐정맥
좌심방
좌심실
우심실
대정맥

심방에 있는 판막들이 심실을 향해 열려 있기 때문이지.

피가 심실로 들어가면 증기처럼 팽창하고 따라서 심실도 부풀어 올라.

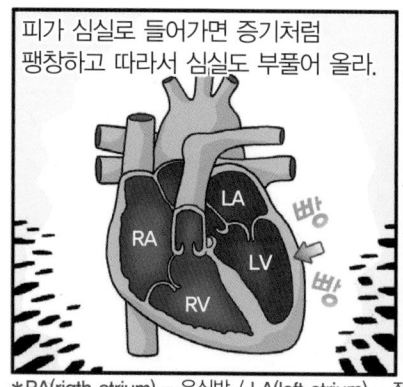

심방과의 사이에 있는 판막들도 막혀서

이제 문 닫는다.

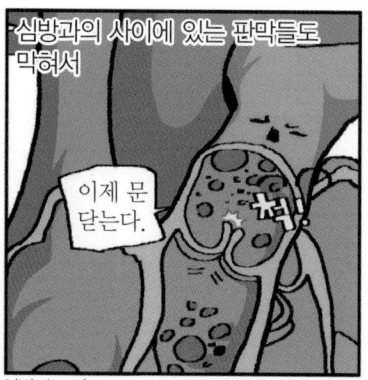

피는 더 이상 심실로 못 들어오지.

나도 들여 보내줘.

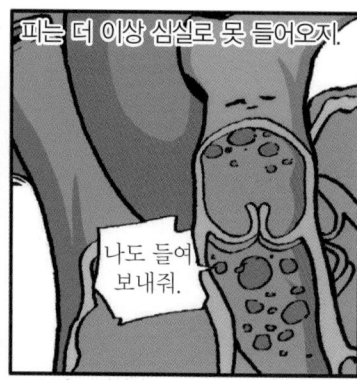

*RA(rigth atrium) - 우심방 / LA(left atrium) - 좌심방 / RV(rigth ventricle) - 우심실 / LV(left ventricle) - 좌심실

심실에 있는 피는 점점 더 팽창해

더 이상 못 참겠다.

그렇게 팽창한 우심실의 피는 대동맥의 입구에 있는 판막을 열고 폐로 들어가고

저 들어 갑니다.

좌심실의 피는 대동맥의 판막을 열고 온 몸으로 흘러 나가.

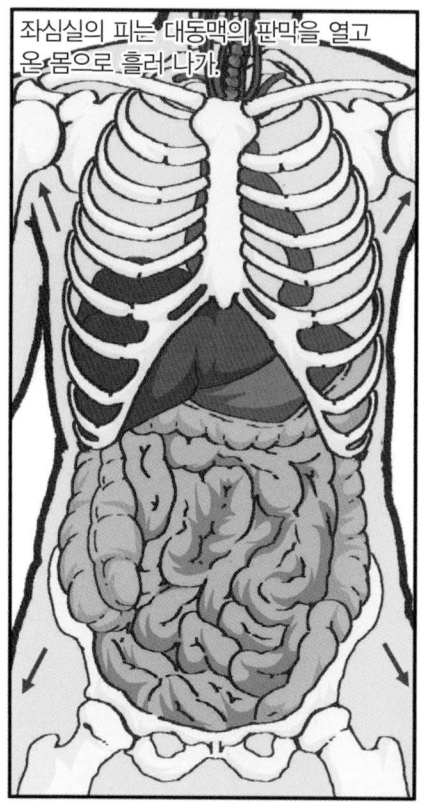

이제 얘기 다 끝났어? 좀 기다려봐.

피가 다 흘러 나가면 심실은 다시 쪼그라들고

거기 두 사람 집중 좀 할래?

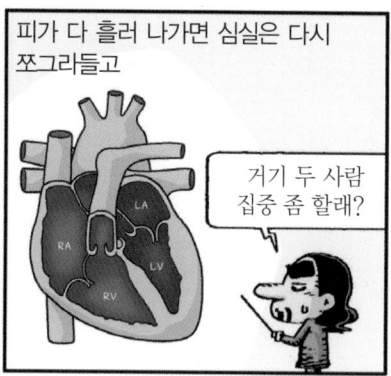

이렇게 열려 있던 판막들도 다시 닫히지.

닫혔다고?

아함

와, 닫혔으니 이젠 다 끝난 거지?

아직 안 끝났거든!

심실이 쪼그라들 때 심방은 각각 대정맥과 폐정맥에서 들어온 피로 다시 채워져.

다 차면 심방의 판막들이 열리고 피는 다시 심실로 들어가지.

이런 과정들이 계속해서 반복되는 거야. 이해가 되나?

질문 하나!

그러면 심장의 불은 왜 꺼지지 않을까?

설명해 주지.

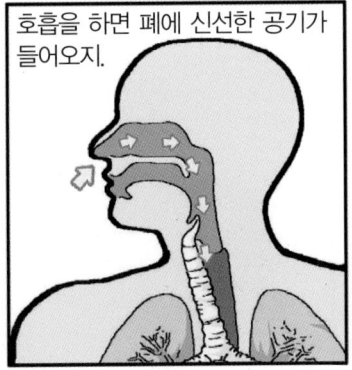

호흡을 하면 폐에 신선한 공기가 들어오지.

심장의 우심실에서 증기처럼 변해 폐로 들어온 피는

나 피 맞아.

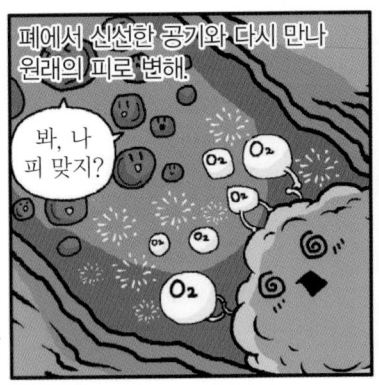

폐에서 신선한 공기와 다시 만나 원래의 피로 변해.

봐, 나 피 맞지?

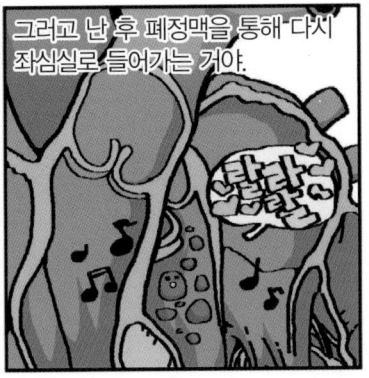

그리고 난 후 폐정맥을 통해 다시 좌심실로 들어가는 거야.

글쎄… 내가 물어본 질문에 답은 아닌 것 같은데?

끝까지 들어봐.

좌심실에서 피는 다시 증기처럼 변해서 심장의 불의 연료가 되는 거지.

아~ 항, 그래서 열이 많다는 의미였구나!

상상력이 장난 아닌데?

자꾸 귓속말 하지 마.

…‥

지금까지 설명한 심장의 운동은 그것을 관찰하면 알 수 있는 것들이야.

어떻게 관찰해?

방법서설

다시 말해 심장의 구조, 손으로 느낄 수 있는 열, 피의 성질들로부터 반드시 따라 나오는 결과야.

흰 쥐라도 잡아 관찰해 볼까?

현대에는 의학 서적이 많아, 서점 가서 찾아보면 알 수 있지.

시계 바늘의 운동이 추와 톱니바퀴의 위치와 모양에 따라 결정되는 것과 하나도 다르지 않지.

피가 증기처럼 팽창한다든가

부글 부글

심장의 운송 원인이 열이라든가 하는 데카르트의 설명은 사실과 전혀 달라.

역시 그렇군.

피는 증기처럼 변하는 것이 아니야.

흐음.

그냥 본래의 상태로 폐까지 간 후 거기서 산소를 얻어서

후우웁~

O_2

폐정맥을 타고 다시 심장으로 되돌아오는 거야.

심장

데카르트, 거기서만 있지 말고 이리 와서 같이 들어보자고.

또 심장은 열이 아니라 전기적인 충격 때문에 운동을 하는 거야.

무슨 말이야? 자세하게 설명해 봐.

알았어.

하하

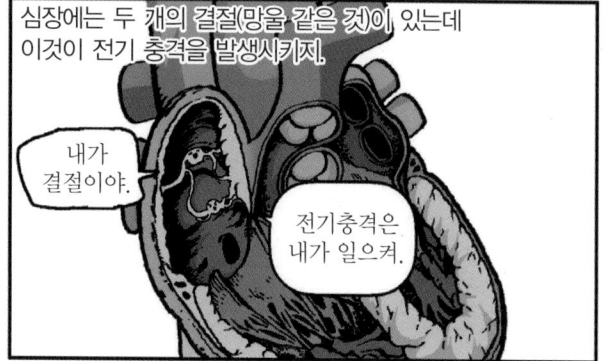

심장에는 두 개의 결절(망울 같은 것)이 있는데 이것이 전기 충격을 발생시키지.

내가 결절이야.

전기충격은 내가 일으켜.

전기 충격이 심장근육을 수축시키면

심장의 피가 동맥으로 나가는 거야.

맞아, 나도 TV에서 많이 봤어.

그럼 데카르트가 말한 건 다 엉터리란 얘기잖아.

무슨 소리! 당시의 기술로는 이런 과정을 알 도리가 없었어.

그래도….

그 시대의 사람들은 세포가 어떻게 전기 충격을 발생시키는 건지는커녕

세포가 무엇인지, 전기가 무엇인지조차 몰랐는걸 뭐.

세포?

전기?

무슨 말이야?

따라서 심장운동의 원인은 열이라고 했다고 해서 데카르트를 비난할 순 없는 거야.

힘을 내, 데카르트.

크윽!

데카르트는 자신이 알고 있는 것과 관찰한 것에서 최선의 결론을 이끌어 낸 거야.

위로는 필요없어.

사실이잖아요.

우리는 그에게서 과학의 지식이 아니라 과학적으로 생각하는 방법을 배워야 하는 거야.

여기에 서 있을 땐 왜 그림자가 생기지 않지?

생각해봐…

태양이 우리 머리 위로 정 90도로 떠 있는 게 아니라 비스듬하게 떠 있기 때문에 그림자가 생기는 거야.

와, 정말 그림자가 생겼네!

옆으로… 옆으로…

방법서설

사람의 몸을 포함하여 물질로 이루어진 모든 것들은

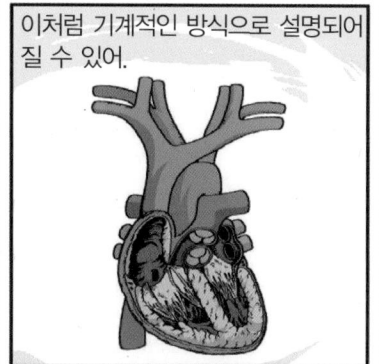

이처럼 기계적인 방식으로 설명되어질 수 있어.

단지 몇 개의 부품만으로

윙 윙~

많은 종류의 자동기계를 만들 수 있다는 것을 아는 사람들은

내 이야기가 전혀 낯설지 않을 거야.

물론이죠.

물론 사람이 만든 기계보다 신이 만든 기계…

신이 만든 기계…?

즉 동물이 훨씬 더 훌륭하다는 것은 말할 필요도 없겠지.

두둥

내가 문제를 하나 내볼게.

흠, 문제 내는 건 오랜만이군. 어디 한번 들어보지.

아주 뛰어난 기술자가 동물과 똑같은 기능을 가진 기계 강아지를 한 마리 만들었어.

뚝딱

됐어, 이제 이 나사만 연결하면 내 작품이 드디어 완성되는 거야.

이 기계 강아지를 진짜 동물과 구별할 수 있겠니? 차이점이 거의 없으니 구별할 수 없을 거야.

멍!

짖어대는 이 강아지는 털도 부드럽고

이제부터는 내가 네 주인이다. 알겠니?

과자를 먹기도 하며

이런, 이런 네 앞에선 과자도 못 먹겠다.

주인이 부르면 꼬리를 흔들기도 해.

왜 불러?

살랑 살랑

심지어 몸 속에 있는 심장 같은 것들도 모두 똑같아.

ㅁㅁㅁ 누구냐 넌…

진짜 강아지와 다를 것이 하나도 없지.

그러면 너희들은 기술자가 만든 강아지와 진짜 강아지를 구별할 수 있겠니?

왈—

넌 누구냐?

글쎄… 구별할 만한 것이 없네.

맞아.

차이점이 전혀 없으니까 말이야.

그럼 우린 쌍둥이?

데카르트는 이처럼 동물을 기계와 똑같은 것으로 생각했어.

말도 안돼… 동물과 기계를 똑같이 생각하다니….

말이 안 되기는!

그런 그도 개를 한 마리 키웠는데

미스터 할큄!

미스터 할큄?
이름 맞아?

강아지 이름이
'미스터 할큄' 이라고 해.

날 소개하는
거야?

그래.

이것저것 어지간히 할퀴어 댔나봐.

으이그… 저
버릇 잡아야
하는데.

내 개성이
라고….

아프다

크흑

아마 이 강아지는 자기를 기계로 보는 주인을 가진
인류 최초의 개일 거야.

최초의 개?
그럼 나 멋지다는
거지?

맘에
안 들어.

그럼 다시
하나 더
물어볼게.

그래
물어봐.

질문도
많네….

강아지를 만든 기술자보다 훨씬 더
아주 훨씬 더 뛰어난 기술자가

뭐? 나보다 더
뛰어난
기술자라고?

사람을 하나 만들었어. 이 사람을
뭐라고 부르면 좋을까?

휴우~
완성.

대체 뭐가 나보다
뛰어난 건데?

내가, 내가
지어볼게.

오토마톤?

재밌겠다

그래, 오토마톤이라고 부르기로 하자.

첫, 누가 물어봤어?

오토마톤은 그냥 자동기계 라는 뜻이야.

오토마톤은 생김새가 사람하고 완전히 똑같아.

몸 속까지도 말이야.

안 궁금해.

이것은 사람처럼 먹기도 하고

자기도 하며

달릴 수도 있어.

누군가 자기를 부르면 뒤돌아보기도 하지.

어이~ 오토마톤!

응?

나무 위에 올라갈 수도 있고

바나나 맛있다

헤엄을 칠 수도 있어.

뭐야, 나보다 잘 치잖아.

세게 꼬집으면 얼굴을 찡그리고 신음소리를 내지.

그러면 오토마톤을 진짜 사람과 어떻게 구분할 수 있을까?

글쎄…?

이렇게 하면 구분할 수 있지 않을까?

어떻게?

말을 시켜 보면 알 수 있을 것 같은데.

오오… 제법인데.

그래… 맞아.

말을 걸어보면 알 수가 있지.

흐음.

진짜 사람과 오토마톤은 물질적으로 아무런 차이가 없어.

기분 나쁘게 왜 나와 비교하는 거야?

오토마톤

사람

단 하나의 차이라면, 신은 사람에게 영혼을 불어넣어 줬지만

영혼

기술자는 오토마톤에게 영혼을 넣어 줄 수 없었다는 점이야.

멈칫

영혼… 이라고?

아무리 뛰어난 기술자라도 영혼까지 만들 수는 없거든.

난 최고의 기술자야, 내가 못 만드는 것은 하나도 없다고.

그러면 오토마톤과 사람을 구별하려면 영혼을 갖고 있어야만 할 수 있는 일을 시켜보면 되겠지?

흠… 영혼이라….

어이~ 오토마톤 너 지금 제일 먹고 싶은 게 뭐야?

사람의 영혼… 즉, 정신의 본질은 뭐지?

뭐야, 너 말 못 하잖아?

사유… 즉 생각이죠.

그래, 생각은 말이나 기호로 표현돼.

그렇죠.

생각이 없다면 말을 할 수도,

뭐야, 왜 둘이만 말을 하는 거야?

기호를 만들고 사용할 수도 없겠지.

나와 이 녀석을 똑같이 취급하는 것 같아….

오토마톤은 말이나 기호를 사용할 수 없기 때문에

사람과 구별되지.

질문 하나!

그럼 앵무새는 말을 할 수 있으니까 생각한다는 건가?

그래, 좋은 질문이야.

앵무새는 말을 하고 있는 것으로 보이지만 사실은 말을 하고 있는 것은 아니지.

아니지 아니지

단지 인간의 말과 비슷한 소리를 내고 있을 뿐이지.

아니지.

아니지.

누구도 앵무새와 대화할 수는 없어.

넌 그 말밖에 할 줄 몰라?

몰라. 몰라.

몰라.

대화를 시도하자마자 곧

따라 하지만 말고 대답을 하라고!

몰라.

아니지.

하라고

앵무새가 말은 하고 있는 것이 아니라

이 바보야!

켁!

말소리를 기계적으로 반복하고 있다는 것을 알 거야.

바보···.

바보.

오토마톤의 경우에도 말을 하도록 만들 수 있어.

오토마톤에게 '안녕하세요?' 라고 말을 걸면

안녕하세요?

반가워요?

오토마톤이 목과 입을 움직여서 "네, 반갑습니다." 라고 말하도록 기관의 배치를 조정할 수 있겠지.

네···.

반갑습니다.

방법서설

하지만 오토마톤은 우리가 한 말의 의미를 알아들었기 때문에 인사를 하는 것이 아니야.

그냥 소리를 듣고 기계적으로 인사를 한 것일 뿐이지.

안녕하세요
반갑습니다
반갑습니다
안녕하세요

실제 대화를 하려면 말이 가진 수많은 의미를 이해하고 그 의미에 맞춰 대답을 해야 해.

당연히 그렇지.

하지만 오토마톤은 그럴 수 없어.

응..!?

상담원

기호를 사용할 때도 역시 마찬가지야.

오토마톤이 기호를 적을 수 있다고 해도 그것을 이해했다고 할 수는 없어.

말의 경우와 마찬가지로 기호도 정신을 갖지 않으면 그 의미를 이해할 수 없기 때문이지.

웅성 웅성

인간은 생각하는 능력이 있지만

소나기인 걸 보니 금방 그치겠군.

소나기야

오토마톤은 생각하는 능력이 없다는 사실을

비가 오면 우산을….

써야 해.

기본적으로 저장된 것만을 알고 있지.

말과 기호를 사용할 수 있는지의 차이 말고도 다른 차이도 있어.

다른 차이?

EQ* 능력 말이야.

생각하는 능력…

그 사람 생각만으로도 너무 좋아….

즉, 이성은 일종의 만능도구라고 할 수 있지.

이거만 있으면 난 뭐든 해 낼 수 있다고.

이성

*EQ – emotional quotient 감성지수

이 도구를 가진 인간은 아무리 많은 상황을 맞닥뜨리더라도 헤쳐 나갈 수 있어.

침착해!

침착하게 방법을 찾자고!

당황하면 안돼!

설령 그것이 처음 겪는 상황이라도 말이야.

저 선장 신입이라며 믿어도 돼?

달리 방법이 없잖아!

하지만 오토마톤은 정해진 상황이 아니면 아무 일도 할 수 없어.

오토마톤!

이 서류를 복사해서 5층 이 과장님께 전해주세요.

?

?

스스로 생각할 수 있는 능력이 없기 때문이야.

저에게 입력된 명단에는 이 과장님이 계시지 않습니다.

아참, 과장님은 어제부터 출근하신 분이지.

인간과 아주 닮은 오토마톤조차도 보통의 인간이 쉽게 해내는 일을 할 수 없다면

이것 봐! 거기는 마른 걸레로 닦아야지!

짐승은 더 말할 필요도 없지.

크어어어어~

동물은 정신을 전혀 갖고 있지 않고

오직 기관의 배치에 따라서 움직일 뿐이야.

혹시 사람처럼 생각할 수 있는 오토마톤을 만들 수 있지 않을까?

그 질문에 그렇다, 또는 아니다로 딱 잘라 대답하는 것은 몹시 어려워.

하지만 그런 시도를 하고 있다는 것은 분명해.

데카르트가 안다면 놀라 자빠지겠지?

쟤네 무슨 귓속말을 저렇게 하는 거야?

많은 과학자와 철학자들이 그 문제에 대해 논쟁하고 있어.

너희들은 어때?

영화에서처럼 사람과 모든 면에서 똑같은 기계,

정신까지 완벽한 기계를 만들어 낼 수 있을 것 같니?

도리 도리~

인간과 짐승의 차이를 설명한 후, 나는 계속해서 정신은 물질로부터 나올 수 없으며 신에 의해 창조된 것이 분명하다는 것을 밝혔어.

물질의 본질은 크기이고 정신의 본질은 생각이야.

크기가 있는 것은 나눌 수 있어.

와우, 맛있겠다!

자꾸 주제에서 벗어나지 마.

물질은 당연히 나눌 수 있지.

물질은 크기가 있으니까 먹으면 줄어들기도 하지.

반대로 크기가 없는 것은 나눌 수 없지.

정신은 크기가 없어서 나눌 수 없어.

쟤네는 정신을 나누고 있는 것 같아.

정신은 때로는 어떤 것을 이해하고, 때로는 어떤 것을 바라며

이봐, 계속 거기에만 있을 거야? 빨리 와서 계속 이야기해야지.

조금 기다리면 오겠지. 우리가 이해하자고.

빨리 와-!

내가 계속 너랑 같이 있다간 나도 오토마톤이 되겠다.

하지만 그렇다고 정신이 이해하고 바라고 느끼는 부분들로 따로따로 나누어지는 것은 아니야.

나는 이해하는 정신.

나는 뭔가를 느끼는 정신.

나는 바라는 정신.

척 척

동일한 하나의 정신이 이해하고 바라고 느끼는 것이지.

그래, 정신은 하나야. 그 하나의 정신에서 무수한 여러 가지가 나오는 거지.

이처럼 정신과 물질은 본성이 전혀 달라.

그래서 정신은 물질로부터 생겨날 수 없고

안녕~.

또 정신은 물질로 이루어진 육체와 아무런 관계도 없어.

앨 보면 정신이 물질로 이루어진 육체와 관계가 없다는 것은 말이 되는 것 같아.

죽음은 물질인 육체만을 죽게 할 뿐

그것과 전혀 다른 것인 정신을 죽게 할 수는 없어.

신 말고 정신을 파괴할 수 있는 것은 아무것도 없어.

그래서 정신은 죽지 않는다고 결론내릴 수 있지.

신은 정신을 만들고 그것을 인간의 육체에 집어 넣었어.

여러 번 본 장면이군….

하지만 사람이 자동차를 타는 것 같은 건 아니야.

정신이 육체를 타고 있는 게 아닌 거지.

그것보다 훨씬 더 긴밀하게 결합되어 있지.

글쎄 그런 게 아니라니깐.

정신

헤헤..

육체를 통해 외부 세계를 느끼고

저 옷 정말 예쁘다.

욕망을 갖기 위해서는 정신과 육체가 하나가 되어야 해.

와, 너무 예뻐. 나 이 옷 사고 싶어요.

정신과 육체가 하나가 되어 있지 않고 따로따로라면 진정한 인간이라고 할 수 없지.

와~ 저 옷 사고싶어~~

정신…

무기… 별로…

육체

데카르트의 제자인 보헤미아의 공주 엘리자베스가 의문을 제기한 부분이 바로 여기야.

데카르트님, 정신과 물질의 결합이라니. 난 정말 이해할 수가 없어요.

엘리자베스의 의문은 정신과 물질이 본질적으로 다른데 어떻게 결합될 수 있느냐는 거지.

두둥

제가 이해할 수 있게 설명해 주세요.

크기를 갖지 않는 것과 크기를 가진 것이 어떻게 결합될 수 있을까?

정신은 육체와 결합해서 그것을 움직여요.

아이스크림을 먹으려는 생각이 손을 움직여 냉장고 문을 열게 하고

오늘은 두 개 먹어야지.

숙제를 하려는 생각이 손을 움직여 공책에 글씨를 쓰게 하지.

벌써 9시야? 어떻게 해… 조금만 놀걸.

끄응

그런데 생각은 크기를 갖지 않는데 어떻게 크기를 가진 것을 움직일 수 있을까?

슥

슥

무언가를 움직이려면 힘을 가해줘야 한다는 것을 다 알 거야.

끄응~

그것은 자연의 법칙이니까.

어떤 물체를 움직이기 위해 아무리 눈을 부릅뜨고 '움직여라, 움직여라.' 하고 외쳐본들 그것은 꿈쩍도 하지 않아.

움직여라,

움직여라.

찌릿

쟤 초능력자 맞아?

물체는 힘이 실제로 가해져야만 움직이는데

정신은 크기를 갖지 않으니까 물체에 힘을 가할 수가 없는 거야.

정신이 육체를 움직이기 위해서는 신경세포를 자극해야 하는데

육체와 정신도 이와 똑같은 상황에 처해 있어.

정신은 크기가 없으므로 전혀 그렇게 할 수 없어.

엘리자베스 공주의 이 예리한 지적에 데카르트는 시원한 답변을 할 수 없었어.

⋯⋯

데카르트는 인간의 두뇌에는 송과선이라는 것이 있는데

이곳이 바로 우리의 두뇌 안에 있는 송과선이죠.

송과선

정신은 오직 이것을 통해서만 육체를 움직이게 할 수 있다고 답변했어.

그럼 그 송과선이 있어야만 우리 몸이 움직인단 말인가요?

그렇죠.

하지만 이것으로 문제가 해결된 것은 아니었어.

송과선도 물질이거든.

아, 머리 복잡해. 그럼 그건 답이 아니잖아.

그래, 따라서 '송과선에서는 어떻게 정신이 육체를 움직이게 할 수 있습니까?' 라고 물으면 문제가 도로 제자리로 돌아와 버리지.

아⋯⋯

으아~

전혀 다른 본질을 가진 정신과 육체가 어떻게 서로에게 영향을 줄 수 있는지의 문제는 데카르트의 철학이 가진 아픈 약점이야.

아무리 대단한 철학자라도 너무 자신의 이론에만 몰입하면 가끔씩 실수한다는 걸 보여주는 좋은 예라고 할 수 있지.

다음 장이 마지막 장인데 데카가 더 이상 안 나오겠다면 어쩌지?

어디 가는 거야?

데카르트가 너냐?

정신은 무엇일까?

데카르트는 정신은 육체 속에서 작용하는 능력이기는 하지만 육체가 없어도 존재할 수 있다고 생각했어. 정신도 육체처럼 하나의 실체라고 생각했거든. 그래서 물질과 정신이라는 두 개의 실체를 인정했다고 해서 그를 이원론자라고 부르는 거야. 정신이 실체라고 해도 그것은 물질과는 전혀 다른 성질을 갖고 있어. 정신은 크기를 갖지 않지. 따라서 있기는 있어도 어디에 있는지는 알 수 없어. 크기도 없고 어디에 있는지도 모른다면 정신이 뭔지 연구할 수 없겠지? 그래서 정신을 연구하는 과학자들은 육체 밖에 있는 정신에 관해서는 말하지 않아. 대신에 육체 안에 있는 정신, 즉 생각하는 능력이 무엇인지에 관해 연구하지.

영국 출신의 수학자
앨런 튜링(1912~1954).

그렇다면 정신, 즉 생각하는 능력이란 것은 뭘까? 데카르트는 육체적인 면에서 인간과 똑같은 오토마톤이 있다고 할 때 그것이 정신을 갖고 있는지 아닌지 알아볼 수 있는 방법이 있다고 했어. 말과 글자를 사용할 수 있는지 없는지 시험해 보면 된다는 거지. 데카르트의 이 생각으로부터 중요한 힌트를 얻을 수 있어. 말과 글자를 사용할 수 있다는 조건을 만족하면 정신을 가졌다고 말할 수 있다는 거지. 정신을 말과 글자의 사용이라는 구체적인 물리적 기능으로 정의함으로써 도저히 움켜잡을 수 없는 어떤 것이었던 정신을 움켜잡을 수 있는 어떤 것으로 만들 수 있게 된 거야. 오토마톤에게 말을 걸고 어떤 답변을 하는지 들어본 다음 그것의 답변을 인간의 답변과 구분할 수 없다면 그것은 정신을 가졌다고 충분히 말할 수 있어. 물론 시험은 한두 번이 아니라 수없이 많이 해야겠지. 이 방법을 통해 어떤 기계가 생각하는 능력을 갖고 있는지 검사할 수 있는데, 영국의 수학자인 튜링이 제안했기 때문에 '튜링테스트'라고 해.

그러면 오토마톤이나 기계가 인간과 똑같은 언어능력을 갖고 있다면 그것들이 정신을 갖고 있다고 확신해도 좋을까? 그것들은 언어를 진짜로 이해하고 있는 걸까? 너희들 생각은 어떠니? 존 서얼이라는 철학자가 그렇지 않다는 것을 논증하기 위해 한 가지 실험을 생각해 냈어. 실제 실험이 아니라 머릿속으로 실험하는 거야. 중국어를 전혀 알지 못하는 사람이 있어. 이 사람은 어떤 방에 갇혀 있어. 그 방 안에는 어떤 규칙이 적혀 있는 매우 두꺼운 책 한 권이 있어. 그리고 외부와 통하는 작은 구멍이 하나 뚫려 있는데, 거기로 중국어가 쓰인 종이쪽지가 들어와. 이 사람은 그 쪽지에 적힌 글자들이 어떤 모양

현재의 기술단계에서 오토마톤은 미리 입력시킨 대로의 반응만을 보일 수 있다. 사진은 KAIST의 인간형 로봇 휴보.

인지, 어떻게 배열되어 있는지 등등을 살펴봐. 그러고 나서 책을 펼쳐 그런 모양과 배열을 갖고 있는 글자가 적힌 쪽지를 받으면 어떤 글자를 그려서 내보내야 하는 지 찾아봐. (그 책에는 중국어에 관한 모든 규칙들이 적혀 있거든.) 그리고 그 책에서 하라는 대로 종이에 글자를 그려서 밖으로 내보내. 이 사람은 이 일을 하도 오랫동안 했기 때문에 재빨리 이런 과정을 처리할 수 있어. 이럴 경우 밖에 있는 사람은 방 안에 있는 사람이 중국어를 이해하고 있다고 생각할 거야. 어떤 글자를 적어서 들여보내도 그 안에 있는 사람이 중국인인지 아닌지 전혀 구별할 수 없을 정도로 완벽한 답변이 나오니까 말이야. 하지만 사실 방 안에 갇힌 사람은 중국어를 전혀 이해하지도 못하고 규칙이 적힌 책에서 하라는 대로 했을 뿐이야. 이 생각실험을 '중국어 방 논증'이라고 해. 이 실험은 오토마톤이나 기계의 머릿속에서도 똑같은 일이 일어날 수 있다는 것을 보여줘. 그것들이 설령 사람과 구분할 수 없을 정도로 언어를 잘 사용한다고 하더라고 언어를 전혀 이해하지도 못한 채 규칙에 따라 기계적으로 말하고 있을 가능성이 있다는 거야. 따라서 오토마톤이나 기계가 언어능력 시험을 통과한다고 해도 생각하는 능력, 즉 정신을 갖고 있다고 말할 수 없다는 거지.

고유한 정신을 가진 로봇이 출현한다면 우리는 그를 어떻게 대해야 할까? 기계일까? 인격체일까? 사진은 로봇의 인성문제를 다룬 영화 〈아이로봇〉의 한 장면.

제10장 자연을 더 깊이 연구하기 위해

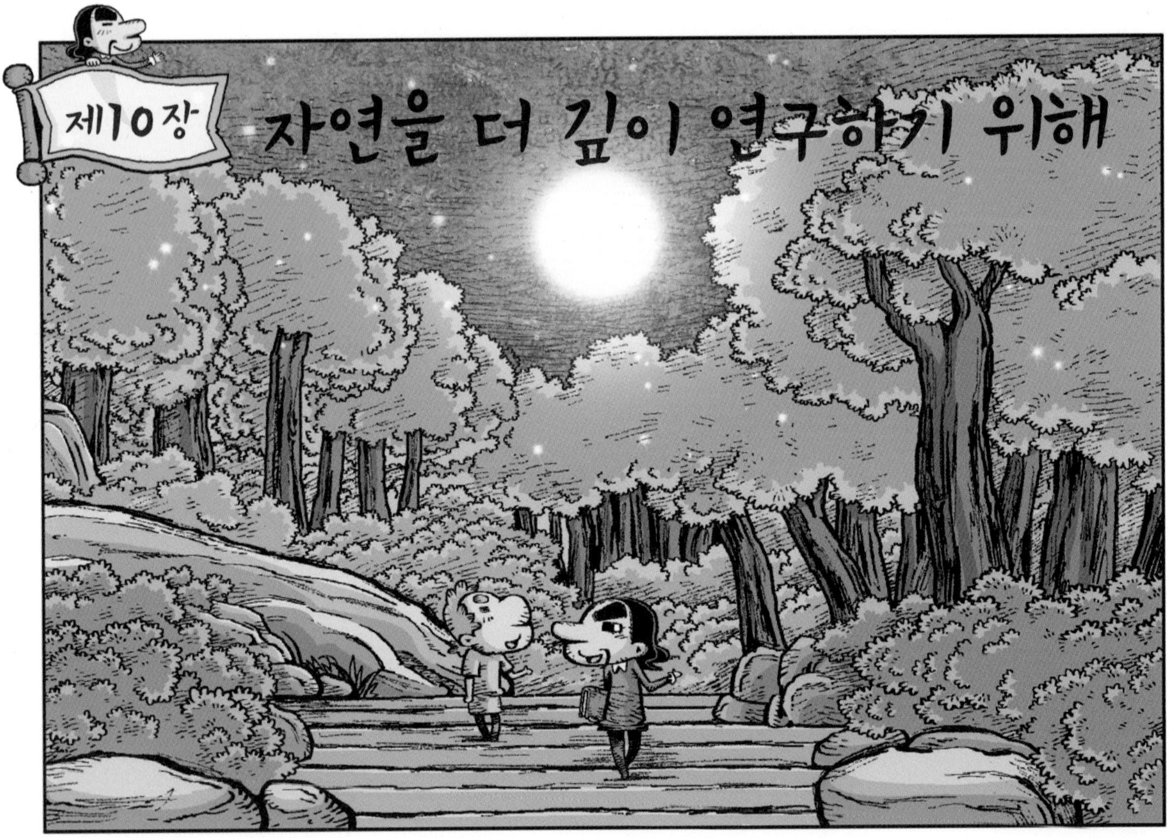

지금으로부터 3년 전에 나는 앞의 두 장에서 설명한 모든 내용을 담고 있는 《우주론》을 완성했어.

드디어 완성했다.

《방법서설》을 쓸 당시로부터 3년 전인 1633년이지.

음….

그리고는 인쇄업자에게 넘겨주기 위해 검토하고 있었지.

저 그럼 그 책을 이리로…

큰일 났습니다, 데카르트님!

깜짝!

로마가톨릭 교회가 갈릴레이가 1632년에 발표한 《두 우주 체계에 관한 대화》를 문제 삼아
그에게 유죄 판결을 내렸다는 소식을 들은 것이 바로 이때였어.

이게 무슨 짓인가?
내 이론이 뭐가
잘못되었다고
이러는 거야?

난 갈릴레이의 이론에 동의하지만

으윽…

그걸 공공연히 말하고 싶지는
않았어.

안 되겠네…. 난
이 책을 출판하지
못하겠어.

여지껏
기다렸는
데….

왜? 그때
발표를 해서
갈릴레이에게
힘을 실어줘도
됐잖아?

아, 그건….

갈릴레이의 이론이
국가에 해가 되는
것도 아닌데.

그렇지.
다음 얘길
계속해서
들어봐.

물론 그의 이론이 국가나 혹은
종교에 해가 될 만한 것은 전혀
없었지.

당연하지! 해라니?
오히려 많은 사람들
에게 도움이 되는
이론이라고!

나 역시
갈릴레이와 똑같이
썼을 거야.

흑, 자네는
나의 이론을
알아주는군.

난 항상 확실하게 증명된 것만을 쓰려고 했고, 다른
사람에게 손해가 될 만한 것은 쓰지 않으려고 많은 주의를
기울였어.

확실한 것!
완전한 것!

조금이라도
의심이 간다면
나의 이론엔
적합하지 않아.

역시 데카르트는 완벽하면서
다른 사람을 많이 배려하는
성격이었구나. 나랑 닮은
점이 참 많다니까.

대체
어디가…?

하지만 이런 일이 있고 보니…

도대체 내가 무슨 죄를 졌다는 거야?

내 의견에도 혹시 잘못된 것이 있지 않을까 걱정이 되었지.

뭔가 잘못된 것이 있다면 내가 찾아내야 해….

내가 출판한 책으로 인해 불이익을 받는 사람이 생기면 안 되니까….

후~응

그래서 《우주론》을 출판하지 않기로 마음을 바꿨던 거야.

데카는 새가슴인가 봐….

새가슴? 새가슴이 뭔데?

한마디로 자네는 간이 작다는 거지, 겁나서 책을 안 낸 거 아니야?

무슨 소리야? 난 정말 나로 인해 누군가가 괴롭힘을 당하는 것이 싫어!

게다가 난 원래 책을 내는 일을 그다지 좋아하지도 않았고 말이야.

그건 맞아, 앞에서도 설명한 얘기잖아.

그랬나 …

하지만 여전히 내 안에서는 책을 내야 한다는 생각과 내지 말아야 한다는 생각이 싸우고 있었지.

쯔쯧, 생각이 너무 많으면 머리카락 무지 빠질 텐데….

생각이 너무 없어서 실수 하는 사람보단 낫겠지….

그럼 내가 생각이 없다는 거야?

그건 중요한 게 아니고….

많은 사람들이 궁금해 할 것 같아서 나의 생각을 여기서 말해볼까 해.

데카 님, 궁금해요. 그 이유가 뭐죠?

그럼 다시 시작할게.

좀 더 내 말에 집중해 주길 바라.

네, 그럼요!

우선 책을 내지 않기로 한 이유는,

내가 한 일이 그다지 중요한 것은 아니라고 생각했기 때문이야.

나 혼자만의 이론일 뿐이지.

난 내 방법을 사용해서 별다른 이익을 얻지 못했기 때문에

그것에 대해 무언가 써야 한다고는 생각하지 않았어.

발견한 이론을 자신만 알고 있으려면 왜 힘들게 연구하는 건데?

그냥 그게 내 일이니까.

물론 그것을 통해 몇 가지 문제를 풀기도 했고

사람은 생각한다. 그러므로 곧 존재한다! 그래, 바로 이거야!

내 삶을 이끌어줄 교훈을 배우기도 했지.

하지만 어떻게 살아야 하는지에 대해서는

사람들 자신이 가장 잘 알아.

뭐야, 기껏 사람들에게 연구한 이론을 설명하더니 마지막에선 알아서 살라는 얘기야 뭐야?

아, 그건 말이야…

잠깐, 내가 설명할게.

그들에게 내 교훈을 강요할 수는 없잖아.

그렇게 할 수 있는 사람은 신이 세운 왕뿐일 거야.

음, 데카에겐 절대적인 바로 그 신.

하지만 책을 내야 한다는 생각도 역시 강했어.

이건 굉장한 원리야, 모두가 알아야 하는 건데!

이 원리를 참고해서 더 나은 이론이 후대에 나올 수도 있는 거잖아.

자연의 원리나 법칙을 알아내고

자연을 지배하고 있는 원리나 법칙 말이야. 앞에서 설명한 것들.

나도 기억하고 있거든.

그것을 구체적으로 적용해 보면서

자연의 법칙은 우주 어디서건 모두에 적용되는 법칙이지.

난 그것이 어떤 힘을 갖고 있는지 알아차렸어.

자연법칙은 신이 만든 것이고 자연뿐만 아니라 인간의 정신 속에도 새겨 넣은 것이야.

그래서 그것을 혼자 알고 있어서는 안 된다고 생각했지.

그래! 신도 모두가 알기를 원하셨을 거야.

자연의 원리와 법칙을 알면 우리는 삶에서 유용하게 쓰일 수 있는 지식을 발견할 수 있어.

오! 모든 물체는 서로를 끌어당기는 힘을 갖고 있구나!

뿐만 아니라 불, 물, 공기, 별, 하늘, 우리 주변의 모든 물체의 힘과 작용을 알면

그것들을 적절한 곳에 사용할 수 있고

따라서 자연을 지배할 수 있어.

북부 산간 지방에 우박이 떨어질 수도 있으니 농작물에 피해를 입지 않도록 예방에 힘쓰시길 바랍니다.

또 땅이 주는 열매를 별 수고 없이 맛볼 수 있도록 해주는 기계를 발명할 수도 있고

이 기계 덕분에 하루 동안 할 일을 1시간 만에 해치운다니깐.

건강을 지키기도 훨씬 쉬워질 거야.

오늘날 우리는 자연을 소유하고 지배하고 있어.

데카르트는 합리적 사고의 힘을 너무나 잘 알고 있었어.

나 데카르트잖아.

뭐야, 주변에 저 별들은…?

그렇기 때문에 미신과 불합리…

뭐야? 왜 여자를 산 채로 불에 태우는 거지?

와아─

자연에 대한 공포가 여전히 힘을 떨치고 있던 17세기에

저 여자가 오자마자 사람들이 병으로 죽어나갔어!

저 여자는 마녀야! 마녀를 죽여라!

자연을 지배할 수 있다는 과감한 주장을 할 수 있었던 거야.

무서워…

이 시대 사람들은 과학보다는 미신과 더 친했지.

이젠 내가 《우주론》을 출판하는 것에 고민을 했던 부분을 이해할 수 있겠니?

음….

정신과 육체는 밀접하게 관련되어 있어.

맞아요, 저도 그렇게 생각해요.

그래서 정신을 현명하게 만들려면 우선 육체를 건강하게 지켜야 해.

건강한 정신은 건강한 육체에서 나온다!

얕볼 생각은 없지만 사실 오늘날의 의학은 거의 쓸모가 없어.

무슨 소리야? 쓸모가 없다니?

진정하시고 끝까지 들어보세요.

우리가 지금 알고 있는 의학지식은 앞으로 알게 될 것에 비하면 그야말로 새 발의 피라는 뜻이지.

그야 그렇지만….

물론 그렇죠.

데카르트는 나이가 들어서는 의학에 큰 관심을 가졌다고 해.

내가 요즘엔 의학에 궁금한 점이 무척 많아.

그는 이처럼 반드시 필요한 학문을 연구하기 위해

알고 싶은 것은 많은데… 세월은 너무 빠르구나.

휴~

인생을 전부 바치기로 했어.

대단한 사람이다. 한평생을 연구하는 데만 바치다니 말이야.

하지만 짧은 인생과 경험 부족이 문제였어.

이 문제를 어떻게 해야 할까?

뭐 많은 걸 경험해 보는 것만큼 좋은 건 없겠지만, 보다 많은 책을 읽거나 사람들과 이야기를 많이 해 보는 것이….

그래, 맞아. 난 내가 찾아낸 것을 사람들과 나누는 것이 좋겠다고 생각했어.

헤헤… 모처럼 통했네.

그래서 많은 사람들이 관찰과 실험에 참여할 수 있도록 하고

오~ 오늘 나왔던 부분에선 새로운 이론들이 많이 제시되었군.

그렇게 해서 배운 것들을 다시 다른 사람들과 나누는 거지.

데카르트

오~ 대단해

역시 데카르트야

그렇게 하면 나중 사람은

데카르트

처음부터 연구할 필요 없이

앞 사람이 한 것을 이어받아 바로 시작할 수 있고

데카르트 -방법서설-

여러 사람이 함께 하면 한 사람이 하는 것보다

박 군의 의견은 잘 알겠네. 또 다른 시점으로 《방법서설》에 대해 얘기해 볼 학생?

더 큰 발전을 이루어 낼 수 있을 거야.

난 내 이론이 그 밑바탕이 됐으면 해.

난 이런 이유로 내 책을 출판하고 싶어 했어.

자네의 마음을 이젠 잘 알겠어.

이 친구 진지한 표정으로 얘기하니깐 좀 이상하군.

관찰과 실험에 관한 이야기가 나왔으니 그것에 대해 한마디 하려고 해.

한 마디 말고 여러 마디 해도 돼.

또 엉뚱한 소리 하기 전에 빨리 끝내야지.

난 지식이 진보하면 할수록 그것이 더욱더 필요해진다는 것을 알게 됐어.

여기서 '그것'이라면 관찰과 실험을 말한답니다.

그건 다 알고 있는 얘기야. 그것 말고 조금 이상한 것이 있어.

이상하다니? 뭐가 말인가?

관찰과 실험에 대한 것은 여지껏 지켜온 태도와는 약간 어울리지 않는 것처럼 보여요.

내가 지켜온 태도?

그래, 듣고 보니 뭔가 조금 다른 것 같아.

응? 뭐가?

깜짝!

데카르트 님은 진리를 아는 방법은 직관과 연역뿐이라고 말해왔어요.

물론이지.

끄덕 끄덕

신과 철학의 제1원리와

나는 생각한다.

그러므로 나는 존재한다.

우리의 정신에 명석 판명하게 드러난 진리로부터 물질과 세계에 관한 진리를 연역해 내는 것.

맞아, 조금이라도 의심 없이 명백하게 참이라는 것에서부터 진리를 연역해 내야 하지.

저는 바로 이것이 데카르트님의 방식이라고 생각했는데요….

그래, 이것이 바로 나의 방식이야.

그런데 지금에 와서 감각적 관찰에 의존하는 실험이 필요하다니…

앞뒤가 맞지 않아 조금 이상한 것 같거든요.

맞아, 이상해.

좀 생뚱맞아 보일 수밖에 없지.

하지만 또 그렇게 이상한 일은 아니야.

데카르트는 철학자이고 수학자였지만

또 뛰어난 과학자이기도 했어.

그는 이론적으로는 몇 가지 원리로부터 모든 진리를 연역해 낼 수 있다고 생각했지만

거기, 조심해요! 데카르트!

윽!!

실제적으로는 실험이 반드시 필요하다는 것을 알고 있었던 거야.

연역해 내는 것만 갖고는 해결이 안 되는 것도 있구나….

왜 그런지는 곧 알게 될 거야.

혼자 북 치고 장구치고 다하네….

진리를 발견하기 위해 지금까지 내가 지켜온 순서는 이랬어.

으흠.

우선 신과 우리의 영혼에 본래부터 있는 진리의 씨앗으로부터 근본적인 원리들을 이끌어 내.

진리의 씨앗으로부터 근본적인 원리?

설마, 모른다고는 하지 않겠지?

'진리의 씨앗'이란 태어날 때부터 가지고 있는 관념, 즉 본유관념을 말하는 거야.

아~ 항, 본유관념! 알아, 알아.

그 다음에 그 원리들로부터 가장 먼저 그리고, 가장 일반적으로 연역되는 것들을 조사해.

그게 뭔지 알겠어?

그… 글쎄. 그게…

하늘이나 별, 또는 지구 같은 것을 말하는 거잖아.

맞아, 맞아!

그래, 이렇게 해서 난 하늘, 별, 지구, 흙, 물, 불, 공기와 같은 것들을 얻을 수 있었어.

여기까지는 별 문제가 없었어.

그런데?

신이 어떤 세계를 창조한다고 하더라도 거기에 사용된 물질이 같다면

너무 똑같아서 개성이 없잖아요.

근본원리들로부터 하늘, 별, 지구, 흙, 물, 불, 공기와 같은 것들을 똑같이 연역해 낼 수 있으니까 말이야.

넌 누구냐?

이 다음부터가 문제야.

좀 더 구체적인 것들에 대한 진리를 연역하려고 하면 커다란 벽에 부딪혀.

예를 들어 지구의 물질들로부터 동물들을 연역하려고 해볼게.

전에 말한 것처럼 불, 물, 에테르 말이야.

지구의 물질이라면…?

문제는 인간의 정신으로는 지금 지구에 존재하고 있는 동물들과, 신이 지구에 만들었을 수도 있는 동물들을 구별하는 것이 불가능하다는 거야.

신이 만들었을 수도 있는 동물이라고…?

지구에 있는 동물들은 대개 네 개의 발을 갖고 있는데

크-어어.

크-어어어~

신은 지구를 세 개의 발을 가진 동물들로 채웠을 수도 있었어.

아이… 깜짝 이야. 세 개의 발을 가진 동물들?

세 개의 발을 가진 동물들 이라니, 상상이 안 가요.

설명해 줄게. 들어봐.

근본 원리로부터 네 발을 가진 동물들을 연역해 낼 수 있는 것처럼 세 발을 가진 동물들도 연역해 낼 수 있거든.

그럼 외발 동물도, 무수히 많은 다리가 달린 동물도 다 연역해 낼 수 있다는 얘기네?

물론이지.

이처럼 구체적인 것들을 연역하려고 하면, 너무나 많은 가능성들이 생겨 버려서

우아… 진짜 머리 아프다!

씨익

인간의 유한한 정신으로는 도무지 감당할 수가 없어.

이제 그만 생각해도 돼.

자꾸 세 발 달린 동물들이 생각나고 떠오르는걸.

그래서 나는 지금까지의 방법과는 반대로

반대로?

음, 반대로 해보는 거야.

먼저 개별적인 것들을 관찰하고

그 개별적인 것들에서부터 원리로 진행할 수밖에 없었던 거야.

이해가 안 가.

잘 들어봐.

다시 말해, 현재 지구를 차지하고 있는 것이 네 발 동물이라는 것을 관찰하고

그로부터 네 발 동물에 관한 원리들을 찾아가는 거지.

음… 역시 이 지구 위를 걸어 다니기에는 네 발이 가장 안정적이군.

이렇게 하면 세 발 동물이 연역될 수 있는 가능성 때문에 골치 아파 하지 않아도 되겠지?

세 발로 서 있는 동물은 상상할 수가 없지.

관찰에 의해 세 발 동물이 연역될 가능성은 실현되지 않았다는 게 드러날 테니까 말이야.

왜냐하면 네 발이 가장 안정적이기 때문이야. 이해할 수 있겠지?

으음.

그럼, 해결이 다 된 거네. 결론이 나왔잖아, 세 발 동물의 연역은 실현되지 않는다….

하지만 문제가 완전히 해결된 건 아니야.

쳇, 꼬리에 꼬리를 무는군. 도대체 또 뭐가 문젠데?

네 발 동물이라는 구체적 사실을 관찰한 뒤

그로부터 네 발 동물의 원리를 찾아가려고 할 때 다시 곤란한 일이 생겨.

이런, 꼭 한 가지 라고 말할 순 없잖아….

뭐가?

원리가 하나가 아니라 여러 개일 수 있거든.

A원리, B원리, C원리 등 원리는 여러 개일 수가 있는 거야.

다리가 네 개일 수 있는 원리?

그게 아니라, 다리가 네 발 달린 동물이 연역될 수 있는 원리 말이야.

차이 없잖아?

아니 거든.

A라는 원리를 통해서도 네 발 동물이 연역되고…

B라는 원리를 통해서도 네 발 동물이 연역될 수 있어.

도무지 받아들이지 못한 표정이군. 좋아, 좀 더 이해하기 쉽게 설명해 줄게.

철수가 시험에서 좋은 점수를 받았어.

이건 구체적인 사실이지.

이제 이 사실로부터 철수가 좋은 점수를 받은 원인을 발견해 보자.

별 거 있어? 당연히 공부를 잘했으니까 점수를 잘 받았겠지.

그래, 맞아.

철수는 공부를 열심히 했기 때문에 좋은 점수를 받았을 수 있어.

또는 철수는 공부를 잘하는 친구의 답안지를 훔쳐보았기 때문에

잘 좀 보여줘 봐! 음, 7번에 4번.

좋은 점수를 받았을 수도 있고

야호! 90점 이상 받았으니까 엄마한테 게임기 사달래야지.

야호!

어느 것이나 모두 철수가 좋은 점수를 받은 원인이 될 수 있어.

음, 공부를 잘해서 좋은 점수를 받을 수 있다는 것과 커닝을 잘해서 좋은 점수를 받을 수 있다는 두 가지 말이지?

다만 우리는 신이 아니기 때문에 어느 원인이 옳은지 알지 못할 뿐이지.

무슨 소리야? 당연히 커닝한 점수가 옳지 않은 거지! 그건 신이 아니라도 알 수 있어!

그런 게 아니라..

어느 원인으로 좋은 점수를 받았는지 알 수 없다는 얘기야, 커닝으로 받은 점수가 좋지 않다는 말이 아니고 말이야.

자, 어느 것이 진짜 원인인지 알려면 어떻게 해야 할까?

글쎄….

그럼 데카르트의 말을 계속 들어보자.

자, 그러면 A와 B 중에 어떤 것이 네 발 동물의 실제적인 원리일까?

그래서 관찰과 실험이 필요한 곳이 바로 이 부분이야.

그래, 실험이 필요할 것 같아.

관찰과 실험은 결과와 실제적인 의존관계가 없는 원리를 제외할 수 있도록 해줘.

말하자면 결과를 확인시켜주는 과정이기도 한 거지.

…힘들다. 연구하는 것보다 저 친구를 이해시키기가 더 힘들어.

아직 결론 난 것은 아니지?

거의 끝나가.

난 이런 목적을 이루기 위해서는 어떻게 관찰하고….

어떻게 실험해야 하는지 잘 알게 되었어.

하지만 나 혼자서는 절대 할 수 없는 일이지.

과학 지식의 진보는 관찰과 실험을 얼마나 많이 하느냐에 달려 있어.

와아—

나는 내 책을 통해 이런 점을 사람들에게 알리고 싶었어.

음, 좋은 생각이야. 이제 조금은 데카르트의 생각을 알 것도 같아.

내가 어떤 실험을 했는지 다른 사람들에게 알리고

데카르트의 생각이 이렇게 앞서 나갔다니 놀라워요.

그렇지? 그런 데카르트가 바로 내 친구란다.

다른 사람들은 그들이 한 실험을 나에게 알리면

데카르트, A실험의 결과가 이렇게 나왔다네.

오~ 예상했던 결과로군. 자, 나는 B실험의 결과를 알려주지.

똑같은 실험을 여러 번 하는 낭비를 줄일 수 있을 거야.

C실험과 D관찰도 다른 학자가 해 주기로 했으니 난 연구를 계속해야지.

또 좀 더 실험이 필요한 문제가 어떤 것인지도 알 수 있을 테고 말이야.

음, 이 실험은 시간을 두고 해 봐야 하겠군.

이런 이유로 《우주론》을 출판해야 한다고 생각했지만

그때 이후로 내 생각은 바뀌었어.

유죄

하지만 조금이라도 중요하다고 생각되는 것은 여전히 기록해 두고 있어.

어쨌든 기록으로 남겨야 해.

그것들을 기록하면서 나 자신도 거기에 잘못된 것은 없나 검토해 볼 수 있고

우리 엄마가 가계부 쓰시는 이유랑 똑같네.

여기서 가계부 얘기가 왜 나오냐?

내가 죽은 후에 사람들이 그것을 이용할 수 있도록 하기 위해서지.

물론 내가 발견한 것이 그럴 만한 가치가 있다면 말이야.

당연, 가치가 있는 일이지.

내 생각이 바뀐 이유는 책을 발표함으로써 쓸데없는 논쟁이나 반대에 휘말려 연구할 시간을 빼앗기지는 않을까 하는 걱정 때문이었어.

연구가 아니라 쓸데없는 논쟁에 시간을 뺏기는 것만큼 아까운 것이 없거든.

아니면 그 책으로 인해 너무 유명해져서 시간을 빼앗길 수도 있었고

바보! 그만큼 자신에 찬 연구 결과라고 생각할 수 있지.

엥… 갑자기 웬 잘난 척?

물론 나는 연구 결과를 다른 사람들과 나누어야 한다고 생각해.

그래야 내가 발견해 낸 것이나 알아낸 것이 의미가 있는 것이니까.

하지만 그때까지 내가 알아낸 것은 앞으로 알 수 있는 것에 비하면 아무 것도 아니었어.

이기적이라고 생각할지도 모르고 폐쇄적이라고 할지도 모르지만 논쟁에 휘말려 시간을 낭비한다면 연구는 점점 더 힘들어져.

진리를 발견하는 것과 돈을 버는 것은 비슷한 점이 많아.

어떻게?

처음에는 돈을 모으기가 힘들어도

쌈짓돈 만들기 정말 힘드네.

어느 정도 모이고 나면 점점 더 쉽게 많은 돈을 벌 수 있지.

그래, 맞아.

돈이 돈을 벌거든.

진리를 발견하는 일도 처음에는 무척 힘들고 어렵지만

뭐든 처음은 힘이 들고 어렵지만 그만큼 의미도 무척이나 크지.

진리의 길

그것이 쌓여갈수록 점점 더 쉬워져.

나는 그때 처음의 힘든 단계를 막 벗어나려고 하던 참이었어.

처음 고비는 넘긴 것 같군.

멈추지 않고 연구를 계속하면 더 많은 진리를 훨씬 더 쉽게 얻을 수 있는 상황이었지.

방해만 받지 않는다면 더 많은 진전이 있을 것 같은데…

만약 그때 그 책을 발표했다면 나는 반론에 답변하느라 많은 시간을 낭비했을 것이 분명하고.

보다 수월하게 진리를 얻을 수 있는 좋은 기회를 놓쳐버렸을 거야.

좀 다른 시각으로 볼 수도 있지 않을까요?

그래, 사람들은 그런 반론이 유익할 수 있다고 말할 수 있어.

혼자만 알고 있는 이론이나 연구 결과가 대체 무슨 의미가 있다는 것인가…?

내가 틀린 점을 그들이 지적할 수도 있고.

당연하지! 많은 사람들의 의견들을 신중히 검토해 본다면 좀 더 발전된 이론을 발견할 수 있다고.

그럼~ 그렇지

내가 발견한 것을 발판으로 해서 새로운 것을 발견하여

그래, 바로 그거야!

종이 한 장도 이렇게 같이 들면 가벼운 것처럼 말이야.

내 연구를 도와줄 수도 있다는 거지.

이렇게 엉망이 될 수도 있고 말이야.

조심해!

악!

하지만 지금까지 본 반론들 중에 내가 예측하지 못했던 것은 거의 없었어.

이거 내가 다 예측해 봤던 건데?

엥?

나 자신보다 더 나은 비판자는 거의 보지 못했지.

정말 대단한 자신감이다.

응.

게다가 나는 학자들 간에 벌어진 논쟁을 통해 진리가 발견되는 경우는

한 번도 본 적이 없거든.

그들은 상대방의 논증을 보는 것이 아니라….

겉으로 보기에 얼마나 그럴 듯한가만 따지지.

말하자면 수박 겉 핥기인 거네.

응, 그렇겠지.

또 내 연구를 도와줄 수 있는 지적도 그다지 맞는 것 같지 않아.

혹시 또 잘난 척?

끝까지 들어보라니깐.

내 연구로부터 새로운 것을 발견하는 일은 다른 사람이 아니라

나 자신이 가장 잘 할 수 있으니까.

나는 종종 내 생각을 다른 사람들, 그것도 아주 뛰어난 지성을 갖고 있는 사람들에게

어이, 거기 데카르트 아닌가? 요즘엔 뭘 연구하고 있지?

오~ 반가워~

설명한 적이 있어.

음, 그래서 '나는 생각한다. 그러므로 나는 존재한다.' 라는 원칙을 갖게 된 것이죠.

그 사람들은 내 말을 듣고 있는 동안에는 다 이해하는 것처럼 보였지.

오~ 정말 대단하군 자네.

내가 좀 대단해~

하지만 그들이 이해한 것을 나한테 다시 설명해 보도록 하면

그러니까 자네가 발견한 게 이런 거 아닌가?

말해 보게. 자네의 생각이 궁금하군.

오오

그것은 도대체 내가 말했던 것인지 의심스러울 정도로 바뀌어 있었지.

그러니까 말이야, 우리는 생각을 많이 해야만 살 수 있다는 얘기인 거잖아, 맞지?

…에?

대체 뭘 들은 거야?

아.. 아니야?

이런 것을 보면 고대의 철학자들이 괴상한 행동이나 주장을 했다는 소리를 들어도 전혀 놀랄 필요가 없어.

그들의 생각이 잘못 이해되어 전해졌을 가능성이 아주 크니까 말이야.

한 마디로 말하자면 내 연구를 가장 잘 완성할 수 있는 사람은

나?

나!

자네까지 왜 그러나?

바로 그것을 시작한 사람인

바로 나 자신 이라는 거야.

실험에 관해서도 마찬가지 이야기를 할 수 있어.

한 사람이 모든 실험을 해낼 수 없다고 해서 아무나 실험에 참가시킬 수는 없어.

우리가 실험하는 거 도와줄게….

뛰어난 기술자나 돈을 지불하더라도

아, 저 말입니까? 탁월한 선택이십니다.

필요한 것을 정확히 해낼 수 있는 사람이 필요해.

이봐, 데카. 저런 유능해 보이는 사람을 쓰면 돈이 많이 들어가잖아.

그렇지, 돈이 많이 들어가겠지.

뭐, 그런 사람을 구할 수 없거나 지불할 돈이 없다면

그럴 사람이 없다면?

힘들더라도 자기 스스로 실험하는 편이 좋아.

그래도 누구든 조금이라도 보탬이 될 텐데… 너무 완벽한 걸 찾는 거 아니야?

내가 하나마나 한 얘길 했군.

당연히 완벽해야지.

또 다른 사람들이 한 실험을, 자신의 연구에 이용할 때도 매우 조심해야 해.

⋯⋯

실험과 별 관계가 없는 부수적인 것들이나 불필요한 것들은 당연히 제외해야 해.

내가 취할 건 취하고 버릴 건 과감하게 버려야 하지.

그런 것들 때문에 정작 실험이 정확히 어떤 진리를 드러내 주는지는 알지 못할 염려가 있거든.

말하자면 주제를 흐릴 염려가 있다는 얘기잖아.

맞지?

맞아.

게다가 사람들은 자신들이 발견한 원리와 꼭 들어맞는 것처럼 보이게 하려고 실험을 억지로 해석하는 경우도 있어.

실험이 아예 거짓인 경우도 있고.

결국 내가 하고 싶은 얘긴 이거야.

매우 중요한 발견, 사람들을 이롭게 할 수 있는 발견을 할 능력을 가진 사람을 도와주고 싶다면⋯.

그가 필요한 실험을 할 수 있게 재정적으로 도와주고 연구에 집중할 수 있도록 그의 시간을 빼앗지 말아 달라는 거지.

요즘으로 말하자면 후원자를 말하는 거네?

물론 난 그런 놀랄 만한 발견을 할 수 있다고 스스로 주장할 만큼 뻔뻔스러운 사람은 아니야.

역시 소심하군.

사람들이 내 계획에 관심을 가져야 한다고 생각하지도 않고

진심이야?

그럼!!

과분하다고 생각되는 호의를 넙죽 받을 만큼 천한 마음을 갖고 있지도 않아.

이건 진짜 맞는 것 같아.

위 세 가지 모습의 데카르트를 평가한다면⋯.

평가? 떨려⋯.

두근 두근

겸손한 말 뒤에 숨어 있는 이런 자존심은 데카르트가 귀족이었다는 걸 생각하면 충분히 이해할 수 있을 거야.

그는 자신이 귀족이라는 생각을 늘 갖고 있었어.

경제적으로도 그리 풍족하지는 않았지만

다른 사람의 후원을 바라지 않아도 될 정도의 재산은 갖고 있었지.

내가 자네의 후원자가 되어 줄까?

필요 없소!

그리고 성격이 검소해서

돈을 함부로 쓰거나 하지도 않았기 때문에 생활에 어려움은 없었어.

저벅

두루두

하지만 연구에 필요한 실험을

이 실험은 사람이 많이 동원되어야 겠는걸.

모두 자신의 돈으로 할 수 있을 정도의 부자는 아니였어.

돈이 많이 들겠어….

후~

그래서 누군가 자신에게 재정적인 도움을 줬으면 했지만

자네 무슨 고민 있나?

고민은 무슨….

표정이 어두워… 하하

그것을 대놓고 말할 수는 없었던 거야.

친구에게조차 말할 수 없는 성격이면 데카도 참 외로운 사람인 것 같아.

나도 그렇게 생각돼.

《우주론》의 출판을 포기하면서 난 내가 살아 있는 동안에는 자연과학에 대한 책은 더 이상 발표하지 않겠다고 결심했어.

갈릴레이 사건의 충격이 컸던 것 같아. 그렇지?

하지만 그때 이후 두 가지 이유로 《방법서설》에 세 편의 자연 과학 에세이를 포함시키고

두 가지 이유?

내 행동과 계획에 대해 설명하기로 마음을 바꾸게 되었어.

그래야 독자들에 대한 도리일 것 같아.

잘 생각했어요.

《방법서설》에 포함된 에세이는 '굴절광학', '기상학', '기하학' 이야.

에세이는 본격적인 논문이 아니고

굴절광학, 기상학, 기하학 이라….

논문을 간략하게 소개하는 글을 말해.

간략하다고?

무슨 말인지 하나도 모르겠네….

사실 데카르트가 처음부터 《방법서설》을 쓰려고 계획했던 것은 아니야.

처음 생각은 다른 거였죠?

음….

원래 그의 계획은 보다 전문적이고 풍부한 내용을 담고 있는 자연과학 논문을 쓰는 거였어.

아자~!!

자연과학에 대해 깊이 있게 써 보겠어!

그런 책을 써서 발표하겠다고 파리의 친구들과 약속도 했었지.

친구들, 기다려 보라고. 뭔가 굉장한 것을 보게 될 거야.

설마 데카의 성격으로 저렇게 얘기했을라고?

열심히 해~

믿기지 않아

그런데 그 일이 틀어져서 꿩 대신 닭으로 《방법서설》을 내놓게 된 거야.

만약 《우주론》이 출판되었다면 아마 《방법서설》은 세상에 나오지 않았을 거야.

넌 내 대타야.

우주론

방법서설

첫째 이유는 사람들의 쓸데없는 오해를 피하기 위해서야.

난 내가 《우주론》의 출판을 포기했다는 것을 아는 사람들이….

사람들이 뭐?

그 이유를 부풀려 추측하는 것을 보고만 있을 수는 없었거든!

깜짝이야….

나는 명예보다도 오히려 마음의 평화를 더 중요하게 생각해.

속닥거리지 마!

속닥 속닥

하지만 그렇다고 해서 내가 출판을 포기한 일이 무슨 범죄라도 되는 양 조용히 숨기고 싶지는 않아.

이봐, 《우주론》의 출판을 포기하셨다며?

어, 어떻게 알았지…?

그렇소, 생각이 바뀌었지.

겁쟁이…

내가 잠자코 있다면 그것은 나 자신한테도 공평하지 않은 일일 뿐만 아니라

흠….

마음의 평화를 얻기는커녕 점점 더 불안해질 거야.

아무래도 잠자코 넘어갈 일은 아닌 것 같군. 나의 생각을 알려야겠어.

벌떡!

사실 나는 사람들이 나를 잘 알든 알지 못하든 별로 신경 쓰지 않아.

정말?

왜 그런 눈으로 자꾸 보는 거야?

나를 멋지게 알아주기를 바라는 것이 아니라, 나를 제대로 알기를 바랄 뿐이야.

후우

하지만 어쩔 수 없이 사람들 입에 오르내릴 수밖에 없다면 나쁜 소리는 듣지 말아야겠다고 생각했어.

난 남에게 나쁜 소리를 들을 만한 행동이나 연구를 하지 않았거든.

당연하죠, 저도 같은 생각이에요.

그래서 《방법서설》을 써서 나 자신을 변호하게 된 거야.

오~호, 이 책이 데카르트 자신을 변호한 책이라 이거지?

방법서설

재 자꾸 기분이 나빠.

끄응

두 번째 이유는 다른 사람의 도움 없이

두 번째 이유도 있어?

….

수많은 실험과 관찰을 나 혼자서 다 하는 것은 불가능하기 때문이야.

앞에서도 말했지만 자연에 관한 지식을 얻기 위해서는 관찰과 실험이 필요해.

그래, 데카르트 님은 관찰과 실험을 매우 중요하게 생각하지.

그래, 맞아.

난 많은 실험을 계획해 놓았는데

이것도 해 봐야 하고

저것도 해 봐야 하고…

다른 사람의 도움 없이 혼자서 하려고 하니

아… 너무 힘들다, 혼자 이걸 다 해 보기에는 무리야.

돈도 모자라고 시간도 너무 많이 걸려.

어떻게 해야 하지?

주변에 제자나 친구들에게 부탁해 보면 되잖아. 자네의 이론에 대해서 얘기하고 도움을 청한다면 대단하다고 느껴 연구에 동참하는 사람이 반드시 생길 텐데 말이야.

그렇게 말해 주니 고맙군.

하지만 내 자신을 대단한 사람인 것처럼 치켜세워서 사람들이 내 일을 돕도록 하고 싶지는 않아.

으이그… 성격하고는.

내가 뭐?

다만 사람들의 도움을 얻어 보다 많은 실험을 할 수 있다면

후대의 사람들에게 좀 더 나은 지식을 물려줄 수 있겠다고 생각할 뿐이야.

후대의 많은 사람에게 꼭 필요한 도움이 될 수 있기를…

그러니까 직접 도움을 청해 보라니깐!

그런 얘기를 어떻게 해.

내가 이 책에서 이야기한 내용에 대해 반대 의견을 가진 사람은

난 데카르트의 이론에 찬성할 수가 없소!

뻑

그 의견을 출판사로 보내주기 바라.

우편료는 부쳐주실 거요?

학자님, 개그는 내 담당이에요.

출판사로부터 전해 받는 즉시 답변을 하도록 할게.

많이도 왔군.

그렇게 하면 독자들은 반대와 답변을 한꺼번에 볼 수 있으므로

반론도, 대답도 다 볼 수 있으니 재밌는걸.

어느 주장이 참인지 좀 더 쉽게 판단할 수 있을 거야.

난 데카의 이론에 한 표 던지겠어.

글쎄, 난 이 반론도 꽤 재미 있다고 봐.

방법 서설

만약 틀린 것이 있다면 나는 솔직하게 그것을 인정하겠어.

데카르트 님이 남긴 격언이 있는데 들어볼래?

격언?

아하하

철학자에게 있어 자기의 오류를 솔직하게 인정하는 것보다 칭찬할 만한 것은 없다!

오~ 멋있는데?

우두웅

그런데 그 말 정말 데카르트 자네가 한 말 맞아?

뜨끔

이 말이 데카르트가 직접 한 말인지는 사실 확실하지 않아.

그럼 누가 한 말이란 거야?

글쎄…

데카르트의 전기를 쓴 아드리앙 바이에 (1649~1701)가 데카르트의 입을 빌려 한 말일 수도 있거든.

저 웃음의 의미는 뭐야?

ㅋㅋ…

글쎄…

의외다. 네 입에서 계속 '글쎄' 라는 단어만 나오네?

글쎄 말이야. 하하.

어쨌든 독자의 반론에 답변 하겠다는 데카르트의 아이디어는 《방법서설》에서는 실현되지 않았어.

뭐라고?

데카르트 자네가 한 말이랑 틀리잖아!

뭘 그렇게 흥분을 하고 그래?

….

대신 4년 후 출판된 《성찰》에는 약속대로 독자들의 반론과

반론에 대한 나의 답변이 포함되어 있지!

독자들의 반론이라면 데카로서는 답변하기 쉽잖아. 4년 뒤라도 약속을 지켜 다행이군 그래.

독자들은 보통의 독자가 아니라 그 시대의 유명한 학자들이었어.

유명한 학자들?

그래! 일반 독자들이 아니라고.

책을 정식으로 출판하기 전에 미리 학자들에게 보여주고 반론을 모은 다음

대단한 이론이군요, 당신의 연구 성과에 찬사를 보냅니다.

당신이 말한 신의 증명엔 뭔가 부족한 것이 있다고 생각합니다.

데카르트가 거기에 답변을 단 후 출판한 거야.

안드레안 님의 반론엔 이렇게 답해 드리겠습니다.

이 책에 포함되어 있는 '굴절광학'과 '기상학'의 시작 부분을 읽어 본 사람이 있다면 좀 이상하다고 느꼈을지도 몰라.

뭐가 이상하다는 거야? 자네는 알아?

음… 알 것도 같아.

뭐지?

내 머리에 한계를 느낀다. 같이 계속 들었는데 자네는 알고 난 모르다니….

데카님의 말을 계속 들어봐.

나는 증명도 하지 않고서 가설을 마치 참된 원리인 것처럼 제시하고 있거든.

가설…?

가설이란 임시로 만든 원리나 이론을 뜻해.

가설이란 말의 뜻은 나도 알거든.

지금까지 나는 오직 참된 원리들만 이용하여

명백하게 참이라고 알지 못한 것은 어떤 것도 절대 참이라고 받아들이지 마라.

다른 진리를 이끌어 내는 방법을 써 왔어.

그래, 자네의 성격상 가설이란 단어는 안 어울려.

그래?

그런데 여기서는 참인지 거짓인지…

알지도 못하는 것을 원리로 이용하고 있으니

이상하게 생각하는 것도 무리는 아니지.

첫 장부터 지금까지 읽어본 독자라면 데카르트의 성격이 어떤지 파악을 했을 테니까.

헤헤..

하지만 인내심을 갖고 끝까지 주의 깊게 읽어보면

조금만 더 애써 보자고!

으~

저렇게까지 애써야 내 책을 읽을 수 있다는 거야 뭐야?

내가 무엇을 하려고 하는지 알게 될 거야.

어쨌든 조금만 더 주의 깊게 읽다보면 나에게서 많은 것을 가져 갈 수 있다는 것이지.

원인(가설)은 결과(가설로부터 연역된 명제)에 의해 증명되고

또 결과는 원인에 의해 증명돼.

그러면 순환논증의 오류를 저지르는 것 아닌가요?

그렇지 않아, 자세히 살펴보면 원인은 결과를 증명하는 것이 아니라 설명할 뿐이고….

아….

결국, 결과가 원인을 증명하기 때문이야.

아, 머리 아파. 자네는 데카르트의 말을 다 알아듣는 거야?

그… 그럼.

그리고 그 결과를 증명하는 것은 원인이 아니라 실험과 관찰이지.

음, 증명을 위해 실험과 관찰이 필요한 거다 이거군. 이 부분은 이해가 가긴 가는데….

이해가 안 가는 부분이 또 있다는 거야?

저기 좀 더 알기 쉬운 예로, 결과가 원인을 증명한다는 걸 설명을 해 주면 안 될까, 데카?

후-우.

내가 잠깐 설명해 줄게.

자네는 다 이해했다는 얘기군.

오늘은 철수의 생일이야.

오늘은 내 생일이야.

철수는 오래전부터 아버지한테 게임기를 사달라고 졸랐어.

아버지는 철수의 생일에 게임기를 사 주겠다고 약속하셨지.

이번엔 꼭 사 주마, 아빠를 믿어봐.

아빠 최고!

게다가 생일선물로 철수가 제일 좋아하는 피자까지 함께 사오시겠다고 하셨어.

아빠 오시기 전에 공부 다 해 놔야지.

피자라고? 아, 나도 먹고 싶다.

이야기의 주제를 흐리지 마셔.

철수는 매우 신이 나서 하루 종일 아버지가 퇴근하기만 기다렸어.

철수만 보고 있어도 나까지 신나네….

아싸~

저녁 때가 되자

철수는 아버지가 과연 약속을 지킬지 매우 의심스러웠어.

작년에도 게임기를 사다주신다고 해놓고선

불안해....

약속을 안 지켰거든.

설마, 또 약속을 안 지키려고?

그거야 알 수 없지.

철수는 지금 아버지가 약속을 지켜서

두 가지 선물을 다 샀는지 안 샀는지 전혀 모르는 상황이야.

휴대전화로 전화해 보면 되잖아?

없다고 가정해 보자고!

철수는 아버지가 두 가지 선물을 전부 다 샀다고 가정하기로 했어.

가정이란 단어가 자주 나오는군.

그래.

그 가정을 바탕으로 해서 하나의 가설을 세웠지.

음... 가정에서 가설까지?

아버지의 양손에는 선물이 들려 있다 - 원인(가설)

짜 잔

양손에 선물을 들고 계시다면 당연히 손으로 초인종을 누를 수 없고

아둥

바둥

혼자서 문을 열 수도 없을 테니까

끄응

철수를 불러 문을 열어 달라고 말하겠지?

철수야, 아빠 왔다! 문 좀 열어라.

그래서 앞 내용의 가설로부터 다음과 같은 명제를 연역했어.

가설

아버지가 선물을 사온다.

초인종을 누르지 못한다.

가설

결과

아버지가 집에 올 시간이 되자

철수는 귀를 쫑긋 세우고 문에 온 신경을 집중했어.

휴대전화로 전화를 하라니깐.

잠자코 보기나 하서.

그러고 있던 어느 순간, "철수야!" 하고 부르는 아버지의 목소리가 들렸지.

아빠다!

철수는 자기도 모르게 "야호!" 하고 외쳤어.

야호~ 야호~ 야호~

그런데 이게 뭐 어떻다는 거야?

쉽게 설명하고 있는 건데 모르겠어?

데카르트가 말하고 있는 방법은 바로 이런 거야.

가설

가설을 세우고 그로부터 어떤 명제를 연역해 낸 후

명제 가설 명제

실험과 관찰을 통해 이 명제가 참인지 아닌지 검사해.

만약 그 명제가 참이라면 그 명제를 이끌어낸 가설도 참이라고 할 수 있지.

우린

'참'이라고.

명제 가설 명제

이런 방법을 바로 가설연역법이라고 해.

가설연역법? 그런 법이 진짜 있는 거야?

그럼. 데카르트가 말한 가설연역법은 철학에서 많이 사용되고 있지.

잠깐만, 철학 분야 보다는….

과학 분야에서 아주 많이 사용되고 있는 방법이야.

그러면 과연 철수는 선물을 받았을까? 받지 못했을까?

수수께끼야?

이 문제는 조금….

그래, 너희들도 벌써 알아 챘겠지만

뭘 알아차려?

난 알 것 같은데.

철수의 추리에는 많은 허점이 있어.

알지?

그럼요, 알죠.

뭐야~아, 둘이서만?

철수의 추리가 맞으려면 훨씬 더 꼼꼼해야 해.

맞아, 앞의 이야기로 봐선 많은 부분이 엉성하지.

내가 설명을 해줄게, 친구.

빨리 말해 봐.

아버지가 선물을 샀는데도 철수를 부르지 않거나

우리 철수 놀라게 해야지.

철수를 불렀는데도 선물을 사지 않았을 가능성이 있으면

철수야! 아빠 왔다, 문 열어라!

연역된 명제를 확인한다고 하더라도

철수야!! 철수야~!

연역된 명제

가설이 참인지 알 수 없을 테니까 말이야.

그렇군, 선물을 샀든 안 샀든, 철수를 부를 수도 안 부를 수도 있는 거니깐.

가설

그렇기 때문에 아버지가 선물을 샀을 경우에만

철수를 불러야

철수야!

철수야!

철수는 자기의 가설이 참이라는 것을 확인할 수 있는 거야.

아빠!

그런데 왜 가설을 직접 검사하지 않고 이렇게 복잡한 방법을 쓰는 거지?

다 이유가 있지.

철수가 천리안도 아니고

구슬아, 구슬아.

아버지가 선물을 사 올까? 안 사올까?

아버지의 상황을 직접 관찰할 수는 없지 않겠니?

역시 휴대전화가 있으면 편하다니까….

다른 소리 하지 말고 열심히 들어봐.

또 예를 들어 가설이 '지구는 태양의 주위를 돈다.'는 것이라면

어떻게 그것을 직접 관찰할 수 있겠니?

인공위성을 통해서 볼 수 있잖아.

여기선 '직접 관찰'을 말하는 거잖아.

데카르트 님, 그럼 순환논증과 가설연역적 방법은 다른가요? 다르다면 어떻게 다른 거죠?

순환 논증?

그건 또 뭐야 …?

물론 다르지, 그럼 순환논증에 대해서도 설명해주지.

예를 들어 다음의 논증을 보자.

수면제는 잠이 오게 하는 약이다.

따라서 수면제를 먹으면 잠이 온다.

전제

결론

'수면제는 잠이 오게 하는 약이다. 따라서 수면제를 먹으면 잠이 온다.' 라고?

그래, 그런 것을 바로 순환논증이라고 해.

'우산은 비를 막아준다. 따라서 비가 오면 우산을 쓴다.' 이런 것도 순환논증이 된다는 건가?

그것도 맞는 것 같아.

전제가 결론을 증명하고

우산은 비를 막아 준다.

따라서 비가 오면 우산을 쓴다.

전제

결론

결론이 전제를 증명하는 방식이지.

쏴아

이게 무슨 소리냐고?

잘못된 논증이라는 소리야.

에?

앞에 수면제 얘기를 설명해 보지.

수면제는 잠이 오게 하는 약이야.

왜 수면제를 먹으면 잠이 올까?

당연한 얘기잖아, 데카 왜 그래?

조용히 좀 해.

왜 수면제를 먹으면 잠이 와?

수면제는 잠이 오게 하는 약이 니까 그렇지.

바로 그거야!

어디? 어디?

증명해야 하는 결론이 전제에 이미 포함되어 있어.

수면제는 잠이 오게 하는 약이라는 말이 바로 결론 안에 들어 있는 것이거든.

그래서 결론은 증명된 것이 아니라

전제를 되풀이 한 것일 뿐이야.

아하!

자네가 말한 우산에 관한 전제에도 우산은 비를 막아준다는 결론이 전제에 포함되어 있는 것이고 말이야.

음….

순환논증과 가설연역법을 잘 비교해 보면

음, 순환논증은 가설연역법보다 단순해.

뭐?

둘이 서로 다르다는 것을 확실히 알 수 있을 거야.

알겠어. 단순하고 복잡한 게 달라.

나도 알겠어, 자넨 역시 단순해.

난 태어날 때부터 갖고 있는 순수한 이성만을 사용하는 사람이

바로 나 같은 사람을 말하는 거야.

거기… 둘 조용히 좀 해 주라.

라틴어로 된 옛날 책들만 신뢰하는 사람보다

……

내 의견을 더 잘 판단할 거라고 생각해.

걱정 마, 데카르트. 자네 의견 잘 판단할 테니까.

난 순수한 사람이니까.

순수한 게 아니라 단순한 거라니까.

그것이 바로 이 책을 스승의 언어인 라틴어가 아니라…

방법서설

내 나라의 언어인 프랑스어로 쓴 이유야.

방법서설

이성을 사용할 수 있는 사람이라면

……

내 논증이 프랑스어로 되어 있다고 해서 거부하지는 않을 거라고 믿어.

난 그렇게 믿어…

앞으로 학문에서 이루어 내고
싶은 일들을

___ 여기서 자세하게 말하고
싶지는 않아.

차
드세요.

내가 할 수 있을지 없을지
모르는 일을 약속하고 싶지도
않고.

음…
좋군.

다만 남은 삶을 의학의 발전에 도움이 되는 연구를 하는 데
바치기로 결심했다는 것만 말하고 싶어.

다른 사람을 해치는 데
사용되는 연구는 하지도
않을 것이고

주인님!

그런 연구를 해서까지 존경을 받고 싶은
생각도 없어.

주인님, 날씨가 추운데
망토 가져다
드릴까요?

됐네, 적당히
추운 게 좋아.

내가 원하는 것은 단지 방해
받지 않고

너무 따뜻하면
생각을 깊이 할
수가 없거든.

뭐야, 벌써
끝난 거야?
왠지 아쉽군….

하하! 아쉽지만
데카르트에 대해 조금은
알 수 있게 돼 난 기뻐.

뭐해! 계속
거기 있을 거야?
두고 간다!

씨익

자유롭게 내 삶을 사는 것뿐이야.

응. 아직
배우고 싶은
것이 많다고!

후후, 많이 배웠네.
그 정도면….

같이 가요!

와아ㅡ

철학(philosophy)이란?

과연 철학이 뭘까? 국문학은 국어와 문학을 연구하고, 역사학은 역사를 연구하고, 경제학은 경제를 연구하고, 법학은 법을 연구하는데 철학은 도대체 무엇을 연구할까? 어린이든 어른이든, 철학책을 읽은 사람이든 읽지 않은 사람이든 이 질문에 제대로 대답하는 사람은 거의 없어. 왜냐하면 본래부터 한마디로 대답하기가 어려운 질문이기 때문이지. 하지만 너희들이 지금까지 읽은 이 책 《방법서설》에 철학의 연구대상들이 거의 다 나와 있다는 것은 정말 행운이야. 그것을 중심으로 철학이 무엇을 연구하는지 간단하게 소개하고 마치도록 할게.

인식론

데카르트는 4장에서 진리를 알기 위한 방법의 규칙을 네 가지를 정했어. 이렇게 '앎'을 연구대상으로 할 때의 철학을 인식론(epistemology)이라고 해. 어떻게 알 수 있는가, 안다는 것은 무엇인가, 알 수 있는 것은 무엇이고 알 수 없는 것은 무엇인가 등에 관해 연구하지. 앞에서 설명했던 합리론과 경험론은 어떻게 알 수 있는가라는 질문에 답변하는 두 가지 이론이야.

형이상학

데카르트는 7장과 8장에서 '나는 생각한다. 그러므로 나는 존재한다.'는 명제를 제일원리로 삼아 내가 정신이라는 것, 신이 존재한다는 것, 사물이 존재한다는 것을 증명해. 이처럼 정신, 신, 사물과 같은 '존재'를 연구대상으로 할 때의 철학을 형이상학(metaphysics)이라고 해. '형이상학(metaphysics)'은 'meta-(다음의)'와 'physics(자연학'가 결합된 말이야. 아주 옛날에 아리스토텔레스의 책들을 편찬할 때 형이상학을 자연학 다음에 두었기 때문에 'metaphysics'라는 이름을 갖게 되었어. 하지만 오늘날 형이상학이란 말은 '자연학(물리학)이 다루는 것보다 더 근본적인 존재를 연구하는 학문'을 가리키는 말로 쓰여. 자연학도 형이상학도 모두 사물을 다루지만, 자연학이 사물을 물질적인 대상으로서 연구한다면 형이상학은 사물의 궁극적인 근거를 연구하지.

윤리학

철학이 행위의 도덕적 근거를 연구할 때 그것을 '윤리학(ethics)'이라고 해. 데카르트가 따르고 있는 스토아 윤리학은 행위의 근거를 로고스(이성)와의 일치에서 찾아. 쾌락주의는 행위의 근거를 '쾌락'에서 찾지. 이들 윤리학에서 행위의 근거는 '~때문에'로 요약될 수 있어. 로고스와의 일치가 최고의 선이기 '때문에', 쾌락이 최고의 선이기 '때문에' 그것을 따르는 행위를 한다는 거야. 하지만 전혀 다른 관점을 갖는 윤리학도 있어.

임마누엘 칸트
(1724~1804)

그런 윤리학의 대표적인 철학자가 칸트야. 그는 '~때문에'가 아니라 이성이 자기 스스로에게 부여한 도덕법칙에 따라 행위해야 한다고 주장해. 행위는 목적이 아니라 도덕법칙을 지키려는 의무에서 비롯되었을 때 비로소 도덕적인 행위가 된다는 거지.

논리학

철학은 크게 이렇게 세 가지 부문으로 나눌 수 있어. 아, 그리고 여기에 올바른 사고의 형식을 연구하는 논리학(logic)을 추가할 수도 있어. 데카르트는 논리학이 모르는 것을 알게 해주는 것이 아니라 이미 알고 있는 것을 설명하는 데 도움을 줄 뿐이라고 비난했지만 그것만으로도 이미 충분한 가치가 있지. 논리학을 배우면 적어도 이미 알고 있는 것으로부터 잘못된 추리를 하는 것은 피할 수 있으니까 말이야.

14

데카르트 방법서설

박철호 글 | 이대종 그림

01 《방법서설》을 쓴 사람으로 근대 철학의 아버지로 불리는 사람은 누구일까요?

① 칸트 　② 데카르트 　③ 헤겔 　④ 헤르메스 　⑤ 헤밍웨이

02 《방법서설》에서 다루는 가장 큰 주제는 무엇일까요?

① 진리를 찾아내는 방법 　　② 연애를 잘하는 방법

③ 살림을 잘하는 방법 　　④ 춤을 잘 추는 방법

⑤ 노래를 잘하는 방법

03 다음 중 《방법서설》에서 말한, 진리를 찾기 위한 방법이 아닌 것을 고르세요.

① 명백하게 참이라고 인식한 것 외에는 어떤 것도 참된 것으로 받아들이지 마라.

② 문제를 가능한 한 많은 부분들로 나누어라.

③ 단순하고 쉬운 것부터 시작하여 점차 복잡한 것으로 생각을 이어 가라.

④ 아무것도 빼놓지 않았다는 확신이 들 정도로 모든 곳에서 완벽하게 검토하라.

⑤ 틀린 것부터 찾아 하나씩 빼내라.

04 《방법서설》에서 가장 중요하게 여긴 것으로, 다음과 같은 능력을
무엇이라고 할까요?
- 생각하는 능력
- 올바로 판단하는 능력
- 거짓으로부터 참을 구별해 내는 능력
① 상상력   ② 창의력   ③ 이성   ④ 예지력   ⑤ 감정

05 다음과 같은 것을 '삼단논증'이라고 하는데, 이와 같은 방법으로
생각의 틀을 갖춘 철학자의 이름은 무엇일까요?
모든 사람은 죽는 존재이다. 모든 남자는 사람이다.
따라서 모든 남자는 죽는 존재이다.
① 아리스토텔레스   ② 히포크라테스   ③ 데모크리토스
④ 데카르트   ⑤ 소크라테스

06 데카르트는 이성이 명백한 참을 아는 방법에는 두 가지가 있다고
했는데, 보기에서 그 두 가지를 모두 찾아 답하세요.
① 연역   ② 증명   ③ 직관   ④ 취재   ⑤ 추출

07 다음과 같은 말을 한 사람은 누구일까요?
나는 생각한다. 그러므로 나는 존재한다.

08 데카르트가 쓴 책으로 세계를 구성하는 원소에는 어떤 것이 있고, 이 원소들로 어떻게 물질이 만들어지고, 그 물질로부터 어떻게 태양, 지구, 달, 동물 등이 생겨나는지를 연구한 결과를 담은 책은 무엇일까요?

09 다음 보기는 데카르트가 제안한 학문을 하는 방법 중의 하나입니다. 다음과 같은 방법을 무엇이라고 할까요?
가설을 세우고 그로부터 어떤 명제를 연역해 낸 후, 실험과 관찰을 통해 이 명제가 참인지 아닌지 검사하고, 만약 그 명제가 참이라면 그 명제를 이끌어 낸 가설도 참이다.

10 데카르트는 이성으로서의 진리를 찾는 방법 자체에 대해서도 많이 이야기 있으며, '방법서설' 왜 읽고 왜야 하는데, 방법서설, 왜 읽어야 위에 좋은 방법을 찾으시나요?

정답

01 ②

02 ① : 《방법서설》은 진리를 찾아내는 방법뿐만 아니라 그 방법을 사용하여 진리를 찾아내고 그 진리를 바탕으로 해서 또 다른 진리를 찾는 것에 대해 이야기해 주는 책입니다.

03 ⑤

04 ③ : 데카르트는 이성을 갖고 있는 게 중요한 것이 아니라 잘 사용하는 것이 중요하다고 했습니다. 《방법서설》의 원래 제목도 '이성을 잘 인도하고, 학문에 있어 진리를 탐구하기 위한 방법서설'입니다.

05 ① : 앞의 두 문장을 전제라고 하고, 맨 마지막 문장을 결론이라고 합니다.